中华人民共和国国家标准

工业建筑涂装设计规范

Code for coating design of industrial construction

GB/T 51082-2015

主编部门：中国工程建设标准化协会化工分会
批准部门：中华人民共和国住房和城乡建设部
施行日期：２０１５年９月１日

中国计划出版社

2015　北　　京

中华人民共和国国家标准
工业建筑涂装设计规范
GB/T 51082-2015

☆

中国计划出版社出版

网址：www.jhpress.com

地址：北京市西城区木樨地北里甲 11 号国宏大厦 C 座 3 层

邮政编码：100038　电话：(010) 63906433（发行部）

新华书店北京发行所发行

三河富华印刷包装有限公司印刷

850mm×1168mm　1/32　2.5 印张　61 千字
2015 年 7 月第 1 版　2015 年 7 月第 1 次印刷

☆

统一书号：1580242·673

定价：15.00 元

版权所有　侵权必究

侵权举报电话：(010) 63906404

如有印装质量问题，请寄本社出版部调换

中华人民共和国住房和城乡建设部公告

第725号

住房城乡建设部关于发布国家标准《工业建筑涂装设计规范》的公告

现批准《工业建筑涂装设计规范》为国家标准，编号为GB/T 51082—2015，自2015年9月1日起实施。

本规范由我部标准定额研究所组织中国计划出版社出版发行。

中华人民共和国住房和城乡建设部
2015年1月21日

前　言

本规范是根据住房城乡建设部《关于印发〈2009年工程建设标准规范制订、修订计划〉的通知》（建标〔2009〕88号）的要求，由中国石油和化工勘察设计协会和中国寰球工程公司会同有关单位共同编制完成的。

本规范在编制过程中，编制组进行了广泛的工程材料调查、涂料性能测试和试验，认真总结了我国工程建设的经验，参考了有关国际标准和国内先进标准，并在广泛征求意见的基础上，最后经审查定稿。

本规范共分6章和3个附录，主要技术内容包括：总则、术语、基本规定、防火涂装、防腐蚀涂装、洁净涂装等。

本规范由住房城乡建设部负责管理，由中国工程建设标准化协会化工分会负责日常管理，由中国寰球工程公司负责具体技术内容的解释。在执行过程中，请各单位结合工程实际总结经验，将意见或建议寄送中国寰球工程公司国家标准《工业建筑涂装设计规范》管理组（地址：北京市朝阳区来广营高科技产业园创达二路1号，邮政编码：100012，E-mail：xiongwei@hqcec.com），以便今后修订时参考。

本规范主编单位、参编单位、参加单位、主要起草人和主要审查人：

主 编 单 位：中国石油和化工勘察设计协会
　　　　　　　中国寰球工程公司
参 编 单 位：中国成达工程有限公司
　　　　　　　中国石化洛阳石油化工工程公司
　　　　　　　中国石化上海工程有限公司

中冶建筑研究总院有限公司
公安部四川消防研究所
中国石油工程建设公司华东设计分公司
临海市龙岭化工厂
中国恩菲工程技术有限公司
宜兴市中电节能工程有限公司
佐敦涂料(张家港)有限公司
江苏金陵特种涂料有限公司
无锡市太湖防腐材料有限公司
南通天和树脂有限公司
华东理工大学华昌聚合物有限公司
正臣新材料科技(上海)有限公司
张家港顺昌化工有限公司

参加单位：北京金隅涂料有限责任公司
阿克苏诺贝尔防护涂料(苏州)有限公司

主要起草人：熊　威　何进源　林　兰　郑洪忠　顾继红
王良伟　嵇转平　王东林　管　颉　钱计兴
王香国　殷学文　雷　浩　刘冬梅　白云龙
卞直兵　刘嘉东　殷树君　顾　新　马　勇
顾素娟　冯有富

主要审查人：彭小洁　王志彤　王　炯　张新立　丁颖新
陈　京　贾桂敬　赵冬梅　叶建华　张维秀
华卫东

目 次

1 总　　则 …………………………………………………………（ 1 ）
2 术　　语 …………………………………………………………（ 2 ）
3 基本规定 …………………………………………………………（ 3 ）
　3.1 基层表面处理 ………………………………………………（ 3 ）
　3.2 涂层构造和涂料使用要求 …………………………………（ 5 ）
4 防火涂装 …………………………………………………………（ 6 ）
　4.1 一般规定 ……………………………………………………（ 6 ）
　4.2 防火涂装保护范围和构件的耐火极限 ……………………（ 7 ）
　4.3 防火保护涂料及保护层厚度 ………………………………（ 7 ）
　4.4 防火保护涂层构造 …………………………………………（ 8 ）
5 防腐蚀涂装 ………………………………………………………（ 9 ）
　5.1 腐蚀性等级 …………………………………………………（ 9 ）
　5.2 防腐涂层使用年限和厚度 …………………………………（ 11 ）
　5.3 防腐涂料的选择和涂层配套 ………………………………（ 15 ）
6 洁净涂装 …………………………………………………………（ 20 ）
　6.1 一般规定 ……………………………………………………（ 20 ）
　6.2 洁净地面涂装 ………………………………………………（ 20 ）
　6.3 洁净墙面、顶棚涂装 ………………………………………（ 21 ）
　6.4 洁净涂料的选择和涂层配套 ………………………………（ 21 ）
附录A　非膨胀(厚涂)型防火涂层厚度计算方法
　　　　和防火涂层配套 …………………………………………（ 22 ）
附录B　防腐蚀涂装涂层配套 ……………………………………（ 25 ）
附录C　洁净涂装涂层配套 ………………………………………（ 37 ）

本规范用词说明 …………………………………………（39）
引用标准名录 ……………………………………………（40）
附：条文说明 ……………………………………………（41）

Contents

1 General provisions ·· (1)
2 Terms ··· (2)
3 Basic requirements ······································· (3)
   3.1 Base surface treatment ······························ (3)
   3.2 Coating structure and painting requirements ·········· (5)
4 Fire protection coating ··································· (6)
   4.1 General requirements ································ (6)
   4.2 The scope of fire protection coating and fire protection
       limit of members ···································· (7)
   4.3 Fire protection materials and thickness of protective
       layer ·· (7)
   4.4 Structural fire protection coating ···················· (8)
5 Corrosion protection coating ······························ (9)
   5.1 Corrosive grade ····································· (9)
   5.2 Service life and thickness of protective layer ········ (11)
   5.3 Paint selection and matching ························ (15)
6 Clean coating ·· (20)
   6.1 General requirements ······························· (20)
   6.2 Cleaning floor painting ····························· (20)
   6.3 Cleaning walls, ceiling painting ····················· (21)
   6.4 Clean coating selection and matching ··············· (21)
Appendix A Fireproof paint coating thickness calculation
             method and fire protection painting system ··· (22)
Appendix B Corrosion protection painting system ········ (25)

Appendix C　Clean coating matching ……………………（37）
Explanation of wording in this code ……………………（39）
List of quoted standards ……………………………………（40）
Addition：Explanation of provisions ……………………（41）

1 总 则

1.0.1 为使工业建筑涂装设计做到安全可靠、技术先进、经济合理,制定本规范。

1.0.2 本规范适用于新建、改建、扩建的工业建(构)筑物防火、防腐蚀、洁净的涂装设计。

1.0.3 工业建筑涂装设计应根据生产和使用过程中的环境条件和要求,采取相应的防护措施。对危及人身安全和维修困难的部位以及重要的承重结构和构件应加强防护。

1.0.4 工业建筑涂装设计除应符合本规范的规定外,尚应符合国家现行有关标准的规定。

2 术 语

2.0.1 涂装 coating

在建(构)筑物的构件表面采用涂料进行防护。

2.0.2 相容性 compatibility

不同涂装材料之间结合不产生负面的物理、化学变化的性能。

2.0.3 涂层配套 paint system

具有相容性的各类涂层间的组合。

2.0.4 水泥基基层 cement-based grassroots

以水泥为主要胶凝材料的混凝土面层和水泥砂浆面层。

3 基本规定

3.1 基层表面处理

3.1.1 碳钢基层涂装前应符合现行国家标准《涂覆涂料前钢材表面处理 表面清洁度的目视评定 第1部分：未涂覆过的钢材表面和全面清除原有涂层后的钢材表面的锈蚀等级和处理等级》GB/T 8923.1和《涂覆涂料前钢材表面处理 表面清洁度的目视评定 第2部分：已涂覆过的钢材表面局部清除原有涂层后的处理等级》GB/T 8923.2的有关规定。

3.1.2 碳钢表面的除锈等级，应根据涂料品种、施工条件、构件的重要程度按表3.1.2确定。

表3.1.2 碳钢表面的除锈等级

底层涂料或金属涂层品种	一般构件	重要构件
丙烯酸类、醇酸类涂料	St2	St3 或 Sa2
氯化橡胶类、聚氯乙烯含氟萤丹涂料、环氧类、聚氨酯类、高氯化聚乙烯类、氟树脂改性聚氯乙烯涂料	St3	Sa2$\frac{1}{2}$ 或 St3
各类富锌底涂料、乙烯磷化底涂料、乙烯基脂类涂料	Sa2$\frac{1}{2}$	
喷镀金属层	Sa3	

注：1 表中所列涂料品种系指直接与碳钢基层接触的底涂料或喷镀金属层的品种。

2 新建工程和不易维修的重要构件，除锈等级不宜低于Sa2$\frac{1}{2}$。

3 抛丸或喷砂除锈的碳钢表面粗糙度要求为40μm～70μm。

4 工厂制作的金属构配件可采用Be级除锈。

5 采用化学转化方法除锈时，基层除锈等级应按其产品检测报告确定。

3.1.3 已经处理的碳钢表面应采取保护措施,避免污染。当受到污染时,应重新进行表面处理。

3.1.4 经处理的碳钢基层宜在4h之内涂刷底层涂料。当钢材构件存放在厂房内时,不应超过16h;当空气相对湿度大于75%时,应缩短间隔时间。

3.1.5 钢结构涂装时,其表面温度应至少比露点温度高3℃。

3.1.6 涂层与涂层的重涂施工应有适当间隔时间,间隔时间应按产品说明书的要求确定。

3.1.7 涂装地面的混凝土强度等级不宜低于C25。无地下室的首层地面其基层应设置防潮层。

3.1.8 水泥基基层表面应平整、坚固、密实;当不平整且必须找平时,宜采用聚合物水泥砂浆找平,找平后的完成面不得有起砂、脱壳、裂缝、蜂窝麻面等现象。

3.1.9 水泥基基层涂装前应干燥、清洁,混凝土基层应养护充分,在深度20mm的厚度层内,含水率不宜大于6%。

3.1.10 水泥基基层表面不应有油污或其他污染物,否则应进行处理。当采用醇酸类等不耐碱的涂料时,水泥基基层的pH值不宜大于8。

3.1.11 使用聚合物水泥基材料进行涂装时,底材应充分润湿但无积水存在,施工环境温度宜为5℃以上。

3.1.12 铝合金和镀锌基层的表面应清洁、无尘、无油污。

3.1.13 木材基层的表面宜刨光,且无尘、无油污、无树脂,含水率不应大于15%。当基层表面被油脂污染时,可先用砂纸磨光,再用汽油等溶剂洗净。

3.1.14 塑料基层在涂装前应做表面脱脂或表面粗化处理。

3.1.15 在旧有涂层上进行涂装前,若为同类涂料,应铲除松动部分,可保留坚实涂层,并应做表面粗化处理。当涂装与原涂层不同的涂料时,应先证实两种涂料间的相容性,若不相容,应彻底清除旧涂层。

3.2 涂层构造和涂料使用要求

3.2.1 防腐蚀涂层构造可由底涂层、中间涂层、面涂层或底涂层、面涂层组成。涂层间应相互结合良好,具有相容性。

3.2.2 钢结构在腐蚀环境下,防火涂层应按下列顺序涂装:

    1 先在构件表面涂覆防腐蚀底涂料及防腐蚀中间层涂料;

    2 待防腐涂层干燥固化后再涂刷防火涂层;

    3 防火涂层干燥固化后再涂刷防腐蚀面层涂料。

3.2.3 膨胀型防火涂层表面的防护面涂层厚度不应大于$100\mu m$。

3.2.4 对高温、高湿环境中的结构构件,宜加强防护,并应避免构件表面结露。

3.2.5 涂装结束后,涂层应自然养护干燥后方可使用。化学反应类涂料形成的涂层,常温养护时间不应少于7d。

4 防火涂装

4.1 一般规定

4.1.1 生产和储存物品场所的火灾危险性分类应符合现行国家标准《建筑设计防火规范》GB 50016 和《石油化工企业设计防火规范》GB 50160 的有关规定;建(构)筑物的耐火等级和构件的耐火极限应按现行国家标准《建筑设计防火规范》GB 50016 和《石油化工企业设计防火规范》GB 50160 及相关专业规范的有关规定执行;建(构)筑物装修材料的燃烧性能等级应符合现行国家标准《建筑内部装修设计防火规范》GB 50222 的有关规定;当构配件耐火极限需要采用防火涂层进行提高时,应符合本章的规定。

4.1.2 构件的防火保护涂装应根据使用环境、材料性能和耐火极限等要求选用防火涂料。

4.1.3 防火涂料的选用应符合下列规定:

1 防火涂料不应含有石棉和甲醛,不宜采用苯类溶剂。在施工干燥后不应有刺激性气味,火灾发生时不应产生浓烟和危害生命安全的气体;

2 防火涂料应符合国家现行有关标准的技术规定;

3 防火涂料应与防腐蚀涂料具有相容性;

4 膨胀型防火涂料与基层的粘结强度不应低于 0.15MPa,非膨胀型防火涂料与基层的粘结强度不应低于 0.04MPa;

5 防火涂料应与使用环境相适应。

4.1.4 石油化工烃类及其他易燃易爆产品在生产、储存和使用过程中的建(构)筑物采用的防火涂料,应按现行行业标准《构件用防火保护材料　快速升温耐火试验方法》GA/T 714 的试验方法进行试验;其他火灾类别环境采用的防火涂料应按现行国家标准《建筑构件耐火试验方法 第1部分:通用要求》GB/T 9978.1中适用于建筑纤维类火灾的试验方法进行试验。

4.1.5 室内裸露钢结构或薄壁型钢结构宜选用膨胀型(薄涂型)钢结构防火涂料。

4.1.6 室内隐蔽钢结构宜选用非膨胀型(厚涂型)钢结构防火涂料。

4.1.7 室外钢结构或室内潮湿部位应选用户外型钢结构防火涂料。

4.1.8 预应力钢筋混凝土构件和其他混凝土构件应采用混凝土结构的防火涂料,其技术性能应符合现行国家标准《混凝土结构防火涂料》GB 28375的有关规定。

4.1.9 防火涂层的耐火极限不应小于构件要求的耐火极限。

4.2 防火涂装保护范围和构件的耐火极限

4.2.1 建筑物的耐火等级及其构件的耐火极限应符合现行国家标准《建筑设计防火规范》GB 50016的有关规定。

4.2.2 室外钢结构和易燃、易爆液(气)体设备支撑结构的耐火极限及保护范围应符合现行国家标准《石油化工企业设计防火规范》GB 50160和现行行业标准《石油化工钢结构防火保护技术规范》SH/T 3137的有关规定。

4.3 防火保护涂料及保护层厚度

4.3.1 防火涂料分为膨胀型和非膨胀型,名称、代号及涂层厚度和适用范围应符合现行国家标准《钢结构防火涂料》GB 14907、《混凝土结构防火涂料》GB 28375和《饰面型防火涂料》GB 12441的有关规定。

4.3.2 构件采用膨胀型防火涂料保护时,防火保护层厚度可根据标准耐火试验检测数据,并应考虑其老化作用对耐火时间的影响确定。

4.3.3 构件采用非膨胀型防火涂料保护时,防火保护层厚度可根据标准耐火试验检测数据,按本规范附录A的计算方法确定。

4.3.4 采用膨胀型防火涂料或非膨胀型防火涂料实施保护时,构件的防火涂料涂层厚度、耐火时间的设计和验收均应采用国家检验测试部门的防火保护系统耐火性能评估报告数据作为依据。

4.4 防火保护涂层构造

4.4.1 钢结构采用膨胀型防火涂层的配套体系,应包含防腐蚀底涂层、防腐蚀中间涂层、防火涂层和防腐蚀面涂层。在弱、微腐蚀环境下,如防火涂层能够满足耐久性要求,可不设防腐蚀面涂层。

4.4.2 当钢结构采用非膨胀型防火涂层时,其配套体系应包含防腐蚀底涂层、防腐蚀中间涂层、防火涂层,在强、中腐蚀环境下,尚应设置防腐蚀面涂层。

4.4.3 非膨胀型防火涂层有下列情况之一时,应在构件表面设置拉结镀锌钢丝网:

1 厚度大于20mm;

2 表面尺寸大于500mm×500mm;

3 粘结强度小于0.05MPa。

4.4.4 非膨胀型防火涂层设置拉结镀锌钢丝网时,规格宜采用丝径$\phi0.5mm\sim\phi1.5mm$、网孔20mm×20mm~50mm×50mm;涂层拐角可做成直角或半径为10mm的圆弧形。

4.4.5 预应力混凝土构件应采用预应力混凝土楼板防火涂层;在强、中腐蚀环境下,尚应设置防腐蚀面涂层。

4.4.6 钢结构和钢筋混凝土构件的防火涂层构造,应根据耐火极限、使用条件、涂层性能等综合确定。防火涂层的配套可按本规范表A.0.2选用。

4.4.7 木材、塑料等可燃性装饰材料需要提高其耐火性能时,宜采用饰面型防火涂料进行保护;饰面型防火涂料的技术性能应符合现行国家标准《饰面型防火涂料》GB 12441的有关规定。

5 防腐蚀涂装

5.1 腐蚀性等级

5.1.1 介质对建筑材料的腐蚀性等级可分为强腐蚀、中腐蚀、弱腐蚀和微腐蚀,共4个等级。

5.1.2 以介质含量、环境相对湿度作为腐蚀条件时,气态介质常温时对配筋混凝土和碳钢的腐蚀性等级应按表5.1.2确定。

表5.1.2 气态介质对建筑材料的腐蚀性等级

介质名称	介质含量 (mg/m³)	配筋混凝土			碳钢		
		环境相对湿度(%)			环境相对湿度(%)		
		>75	60~75	<60	>75	60~75	<60
氯	>1.0	强	中	弱	强	中	中
	0.1~1.0	中	弱	微	中	中	弱
	<0.1	弱	微	微	弱*	弱	弱
氯化氢	>1.0	强	强	中	强	强	中
	0.1~1.0	中	中	弱	中	中	弱
	<0.1	弱	弱	微	弱*	弱	弱
氮氧化物	>5.0	强	中	弱	强	中	中
	0.1~5.0	中	弱	微	中	中	弱
	<0.1	弱	微	微	弱*	弱	弱
硫化氢	>5.0	强	中	弱	强	中	中
	0.1~5.0	中	弱	微	中	中	弱
	<0.1	弱	微	微	弱*	弱	弱
氟化氢	>1	中	弱	微	强	中	中
	<1	弱	微	微	弱*	弱	弱

续表 5.1.2

介质名称	介质含量 (mg/m³)	配筋混凝土 环境相对湿度(%)			碳钢 环境相对湿度(%)		
		>75	60~75	<60	>75	60~75	<60
二氧化硫	>10.0	强	中	弱	强	中	中
	0.5~10.0	中	弱	微	中	中	弱
	<0.5	弱	微	微	弱*	弱	弱
硫酸酸雾	经常作用	强	强	中	强	强	中
	偶尔作用	中	弱	弱	强	中	中
醋酸酸雾	经常作用	强	强	中	强	强	中
	偶尔作用	中	弱	弱	强	中	中
二氧化碳	>2000	中	弱	微	中	弱	弱
氨	>20	弱	弱	微	中	中	弱
碱雾	偶尔作用	弱	弱	微	弱	弱	弱

注：1 表中 * 表示在露天环境下钢结构的腐蚀性等级为"中"。
  2 多种介质同时作用时，腐蚀性等级应取最高者。

5.1.3 以厚度损失值作为腐蚀条件时，气态介质对碳钢的腐蚀性等级应按表 5.1.3 确定。

表 5.1.3 气态介质对碳钢的腐蚀性等级

无保护的碳钢在气态介质暴露 1 年后的厚度损失值(μm)	介质对碳钢的腐蚀性等级
80~200	强腐蚀
50~80	中腐蚀
25~50	弱腐蚀
<25	微腐蚀

5.1.4 降水年均 pH 值小于 5.0 的地区，酸雨对配筋混凝土和碳钢的腐蚀性等级宜按中腐蚀。降水年均 pH 值大于或等于 5.0 的

地区,酸雨对配筋混凝土和普通碳钢的腐蚀性等级宜按弱腐蚀。

5.1.5 离涨潮海岸线距离小于1km的地区,气态介质对碳钢的腐蚀性等级宜按中腐蚀,对配筋混凝土的腐蚀性等级宜按弱腐蚀。离涨潮海岸线距离为1km～10km的地区,气态介质对碳钢的蚀性等级宜按弱腐蚀。

5.1.6 气态介质腐蚀性等级的综合评定,应取本规范第5.1.2条～第5.1.5条的最高者。

5.1.7 液态介质、固态介质和地下水、土对建筑材料的腐蚀性等级,应按现行国家标准《工业建筑防腐蚀设计规范》GB 50046的有关规定确定。

5.2 防腐涂层使用年限和厚度

5.2.1 建筑构配件表面防腐蚀涂层的使用年限,宜分为2a～5a、5a～10a、10a～15a和大于15a,共4个年限。

5.2.2 涂层的使用年限应根据建筑构配件的重要性、维修难易程度以及建设工程要求等因素综合确定,并不宜低于表5.2.2的要求。

表5.2.2 建筑构配件涂层的使用年限(a)

构配件名称	涂层使用年限	
	宜用	可用
一般构配件	2～5	5～10
重要的构配件	5～10	10～15
特殊要求的构件	10～15	>15

5.2.3 钢构件的防腐蚀涂层厚度,应根据介质的腐蚀特性、腐蚀性等级、涂层使用年限、所处环境以及涂料品种等因素综合确定。在气态介质作用下,钢构件的涂层厚度应符合表5.2.3的规定。

表 5.2.3 钢构件涂层的最小厚度(μm)

涂层使用年限(a)	强腐蚀	中腐蚀	弱腐蚀	微腐蚀
10～15	280	240	200	160
5～10	240	200	160	120
2～5	200	160	120	80

注：1 涂料的品种应符合本规范第5.3节的规定。
   2 室外工程的涂层厚度宜增加$20\mu m$～$40\mu m$。
   3 聚氯乙烯萤丹涂层、聚氯乙烯含氟萤丹涂层、高氯化聚乙烯含氟萤丹涂层和氟树脂改性聚氯乙烯涂层，可按本规范附录B的规定执行。

5.2.4 在腐蚀环境中，钢结构的布置和选型应有利于提高结构自身的抗腐蚀能力，能有效地避免腐蚀性介质在构件表面的集聚或便于及时清除。当轻型钢结构用于腐蚀环境时，应加强防护。

5.2.5 彩涂压型钢板屋面和墙面的使用年限，弱腐蚀环境时宜为5a～10a，中腐蚀环境时宜为2a～5a，强腐蚀环境时应经论证评估后方可使用。

5.2.6 混凝土构件的涂层厚度，应根据介质的腐蚀特性、腐蚀性等级、使用年限以及室内外环境等条件综合确定。在气态介质作用下，混凝土构件的涂层厚度应符合表5.2.6的规定。

表 5.2.6 混凝土构件涂层的最小厚度

涂层使用年限(a)	强腐蚀	中腐蚀	弱腐蚀	微腐蚀
10～15	防腐蚀涂层厚度$200\mu m$	防腐蚀涂层厚度$160\mu m$	防腐蚀涂层厚度$120\mu m$	1.防腐蚀涂层厚度$80\mu m$；2.聚合物水泥浆涂层厚度$400\mu m$；3.内外墙涂料厚度$60\mu m$

续表 5.2.6

涂层使用年限(a)	强腐蚀	中腐蚀	弱腐蚀	微腐蚀
5~10	防腐蚀涂层厚度 $160\mu m$	防腐蚀涂层厚度 $120\mu m$	1. 防腐蚀涂层厚度 $80\mu m$； 2. 聚合物水泥浆涂层厚度 $400\mu m$； 3. 内外墙涂料厚度 $60\mu m$	1. 内外墙涂料厚度 $60\mu m$； 2. 不做表面防护
2~5	防腐蚀涂层厚度 $120\mu m$	1. 防腐蚀涂层厚度 $80\mu m$； 2. 聚合物水泥浆涂层厚度 $400\mu m$； 3. 内外墙涂料厚度 $60\mu m$	1. 内外墙涂料厚度 $60\mu m$； 2. 不做表面防护	1. 内外墙涂料厚度 $60\mu m$； 2. 不做表面防护

注：1 表中有多种防护措施时，可根据腐蚀性介质和作用程度以及构件的重要性等因素选用其中的一种。
　　2 涂料的品种应符合本规范第 5.3 节的规定。
　　3 室外工程的涂层厚度宜增加 $20\mu m \sim 40\mu m$。
　　4 混凝土表面不平处宜采用聚合物水泥砂浆局部找平。

5.2.7 涂层地面应根据腐蚀性介质的类别及作用情况，防护层使用年限和使用过程中对面层材料耐腐蚀性能、物理力学性能的要求，结合施工、维修等条件综合确定，并应符合下列要求：

1 涂层地面宜用于室内环境；

2 无运输工具作用的地面可采用防腐蚀耐磨涂层或树脂自流平涂层，有小型运输工具作用的地面宜在涂层下设玻璃钢隔离层或树脂砂浆层；

3 有机树脂涂层地面不应用于有明火作用的部位；

4 涂层地面构造可按本规范表 B.0.3 的规定选用。

5.2.8 钢筋混凝土池槽的涂层衬里及厚度，可按表 5.2.8 的规定采用。

表5.2.8 钢筋混凝土池槽的涂层衬里及最小厚度

腐蚀性等级	侧壁和池底		钢筋混凝土顶盖的底面
	储槽	污水处理池类	
强腐蚀	不宜采用涂层衬里；当必须采用涂料层与树脂玻璃钢或与树脂砂浆复合构造的衬里时，应经评估确定	1. 底层为树脂玻璃鳞片胶泥2mm或树脂玻璃钢2mm，面层为树脂玻璃鳞片涂料280μm； 2. 底层为聚氯乙烯含氟萤丹胶泥2mm或氯乙烯含氟萤丹玻璃钢2mm，面层为聚氯乙烯含氟萤丹涂料200μm	1. 树脂玻璃鳞片胶泥2mm； 2. 聚氯乙烯含氟萤丹胶泥2mm； 3. 底层为树脂玻璃鳞片胶泥1mm或树脂玻璃钢1mm，面层为树脂玻璃鳞片涂料280μm； 4. 底层为聚氯乙烯含氟萤丹胶泥1mm或聚氯乙烯含氟萤丹玻璃钢1mm，面层为聚氯乙烯含氟萤丹涂料200μm
中腐蚀	1. 底层为树脂玻璃鳞片胶泥2mm或树脂玻璃钢2mm，面层为树脂玻璃鳞片涂料280μm； 2. 底层为聚氯乙烯含氟萤丹胶泥2mm或聚氯乙烯含氟萤丹玻璃钢2mm，面层为聚氯乙烯含氟萤丹涂料200μm； 3. 聚脲3mm	1. 树脂玻璃鳞片胶泥2mm； 2. 聚氯乙烯含氟萤丹胶泥2mm； 3. 底层为树脂玻璃鳞片胶泥1mm或树脂玻璃钢1mm，面层为树脂玻璃鳞片涂料280μm； 4. 底层为聚氯乙烯含氟萤丹胶泥1mm或聚氯乙烯含氟萤丹玻璃钢1mm，面层为聚氯乙烯含氟萤丹涂料200μm； 5. 聚脲2mm	1. 树脂玻璃鳞片涂料280μm； 2. 聚氯乙烯含氟萤丹涂料200μm； 3. 聚脲1mm

续表 5.2.8

腐蚀性等级	侧壁和池底		钢筋混凝土顶盖的底面
	储槽	污水处理池类	
弱腐蚀	1. 树脂玻璃鳞片胶泥 2mm； 2. 聚氯乙烯含氟萤丹胶泥 2mm； 3. 底层为树脂玻璃鳞片胶泥 1mm 或树脂玻璃钢 1mm，面层为树脂玻璃鳞片涂料 280μm； 4. 底层为聚氯乙烯含氟萤丹胶泥 1mm 或聚氯乙烯含氟萤丹玻璃钢 1mm，面层为聚氯乙烯含氟萤丹涂料 200μm； 5. 聚脲 2mm	1. 树脂玻璃鳞片涂料 280μm； 2. 聚氯乙烯含氟萤丹涂料 200μm； 3. 聚脲 1mm； 4. 聚合物水泥浆涂层 1mm	1. 防腐蚀涂料 200μm； 2. 聚氯乙烯含氟萤丹涂料 120μm； 3. 聚合物水泥浆涂层 700μm

注：1 树脂的品种应根据腐蚀性介质、室内外环境和使用年限等条件综合确定，可选用环氧、不饱和聚酯、乙烯基酯和呋喃树脂等。
2 本表所列防护构造的设计使用年限宜为 10a～15a。
3 事故池的涂层、衬里及最小厚度应根据介质情况综合确定。

5.2.9 砌体结构表面的涂层厚度，可按本规范表 5.2.6 的规定确定。

5.2.10 砌体结构表面不平整，需要局部找平时，宜采用聚合物水泥砂浆。

5.3 防腐涂料的选择和涂层配套

5.3.1 防腐蚀涂料品种的选择，应根据涂装基层材料、室内外环境、腐蚀性介质及腐蚀性等级、使用年限以及经济条件等因素综合确定。

5.3.2 在不能停产的工业建筑物或通风不良的施工环境中,应选用挥发性有机化合物含量低的环保型涂料。

5.3.3 防腐涂层与钢铁基层的附着力(拉开法)不宜低于5MPa,涂层与混凝土基层的附着力(拉开法)不宜低于1.5MPa。当涂层厚度不大于240μm时,涂层与基层的附着力也可采用划格法进行测定,其附着力(划格法)宜为0级,不得低于1级。

5.3.4 防腐蚀面涂料的漆膜应致密,对环境介质应具有耐腐蚀性,当用于室外时尚应具有优良的耐候性。面涂料品种的选择宜符合表5.3.4的规定。

表5.3.4 面涂料品种的选择

面涂料种类	适 用 范 围
氯化橡胶 高氯化聚乙烯 氯磺化聚乙烯	1. 宜用于中、弱腐蚀环境; 2. 可用于室内外
环氧 丙烯酸环氧	1. 宜用于中、弱腐蚀环境和强腐蚀的碱性环境; 2. 环氧面涂料不得用于室外,丙烯酸环氧面涂料可用于室内外
脂肪族聚氨酯 芳香族聚氨酯 丙烯酸聚氨酯	1. 宜用于强、中、弱腐蚀环境; 2. 脂肪族聚氨酯和丙烯酸聚氨酯面涂料可用于室内外,芳香族聚氨酯面涂料不得用于室外
聚氯乙烯萤丹 聚氯乙烯含氟萤丹 高氯化聚乙烯含氟萤丹 氟树脂改性聚氯乙烯	1. 宜用于强、中、弱腐蚀环境; 2. 可用于室内外
醇酸 丙烯酸	1. 宜用于弱、微腐蚀环境; 2. 醇酸涂料不得用于碱性介质的部位; 3. 可用于室内外

续表 5.3.4

面涂料种类	适 用 范 围
环氧玻璃鳞片 乙烯基酯玻璃鳞片 聚氯乙烯含氟萤丹玻璃鳞片	1. 宜用于对抗渗、耐久性有较高要求的部位； 2. 面涂料的性能与采用的树脂相同； 3. 不得用于含氟的酸性介质
聚脲	1. 宜用于中、弱腐蚀环境； 2. 可用于有冲击作用的部位； 3. 可用于室内外
氟碳 聚硅氧烷	1. 宜用于强、中、弱腐蚀环境； 2. 宜用于对耐候性有较高要求的室外部位
环氧沥青 聚氨酯沥青	宜用于地下或隐蔽工程

注：1 本表主要用于气态介质腐蚀。玻璃鳞片涂料、环氧沥青涂料、聚氨酯沥青涂料也可用于液态介质腐蚀。

2 环氧玻璃鳞片涂料、乙烯基酯玻璃鳞片涂料、聚氯乙烯含氟萤丹玻璃鳞片涂料用于含氟的酸性介质时，应选用由重晶石砂粉（硫酸钡粉）为骨料的涂料替代玻璃鳞片涂料。

5.3.5 在防火涂料、轻质耐火混凝土、耐火水泥砂浆上涂覆的防腐蚀面涂层，应符合下列规定：

1 面涂料应满足耐腐蚀性、阻燃型和耐久性的要求，使用年限宜为 10a～15a；

2 在耐火混凝土、耐火水泥砂浆和非膨胀厚型防火涂料上，应采用耐碱的面涂料；

3 在膨胀型防火涂料上，不应采用对防火涂料膨胀性能有不良影响的面涂料；

4 面涂层可按表 5.3.5 确定。

表 5.3.5 在防火涂料、轻质耐火混凝土、耐火水泥砂浆上的面涂层

腐蚀性等级	膨胀型防火涂料	非膨胀型防火涂料 轻质耐火混凝土、耐火水泥砂浆
强	防腐蚀面涂层厚度 80μm～100μm	1. 聚合物水泥砂浆厚度≥10mm； 2. 防腐蚀面涂层厚度 60μm～80μm； 3. 聚合物水泥浆涂层厚度 700μm
中	防腐蚀面涂层厚度 60μm～80μm	1. 聚合物水泥砂浆厚度≥5mm； 2. 防腐蚀面涂层厚度 40μm～60μm； 3. 聚合物水泥浆涂层厚度≥500μm
弱、微	防腐蚀面涂层厚度 40μm～60μm；当采用具有防腐蚀性能的防火涂料时，可不设防腐蚀面涂层	可不设面涂层

注：1 聚合物水泥浆可选用氯丁胶乳水泥浆、聚丙烯酸酯乳液水泥浆或环氧乳液水泥浆。

2 在非膨胀型防火涂料粗糙表面上涂覆防腐蚀面涂料时，可先用与面涂料同类的腻子局部找平。

3 当表中有多种防腐蚀措施时，可根据腐蚀性介质的性质和作用程度、构件的重要性等因素选用其中一种。

4 表中"具有防腐蚀性能的防火涂料"是指防火涂料的耐久性试验均合格，而且附加耐火性能试验的衰减不大于10%的防火涂料。

5 在可能发生冻害的潮湿环境中，防火涂料外面宜增加封闭面涂层。

5.3.6 中间层涂料应符合下列规定：

1 中间层涂料应与底、面层涂料有良好的相容性；

2 中间层涂料每遍的干膜厚度不宜小于60μm；

3 在氯化橡胶、高氯化聚乙烯、氯磺化聚乙烯、环氧、聚氨酯等底、面层涂料之间，可采用相同树脂品种的中间层涂料，也可采用环氧云铁中间层涂料；

4 在富锌底涂料与环氧、聚氨酯、氟碳、聚硅氧烷等面涂料之间宜采用环氧云铁中间涂料。

5.3.7 底层涂料品种的选择应符合下列规定：

1 底层涂料与钢铁基层的附着力：划圈法宜为1级，不应低于2级；划格法宜为0级，不应低于1级；

2 在混凝土、水泥砂浆等碱性基层上，应采用耐碱性良好的底层涂料，不得采用醇酸涂料；

3 在富锌底涂料上不得采用醇酸涂料；

4 在锌、铝和含锌、铝金属层的碳钢表面上，应覆盖环氧底涂料或封面料；底涂料的颜料应采用锌黄类，不得采用红丹类。

5.3.8 常用防腐蚀涂层配套可按本规范附录B选用。

6 洁 净 涂 装

6.1 一 般 规 定

6.1.1 洁净涂装饰面材料的选择应根据生产工艺要求、基层材料特征、室内空气环境要求、经济条件等因素综合确定。

6.1.2 洁净涂装表面应满足生产产品的健康、环保、卫生要求。

6.1.3 洁净涂装构件的基层不应有起砂、脱壳、裂缝、蜂窝麻面，并应符合下列规定：

  1 基层可采用1：2水泥砂浆或聚合物水泥砂浆抹面，不应采用混合砂浆抹面；

  2 混凝土表面不平整处宜采用聚合物改性水泥砂浆找平，不宜采用水泥砂浆找平；

  3 基层应平整坚硬，无开裂。

6.1.4 洁净室内的色彩宜淡雅柔和。室内各表面材料的光反射系数：顶棚和墙面宜为0.60～0.80，地面宜为0.15～0.35。

6.1.5 洁净室（区）的空气洁净度等级应符合现行国家标准《洁净厂房设计规范》GB 50073的有关规定。

6.2 洁净地面涂装

6.2.1 洁净地面应平整亮丽、坚韧耐磨、着色自由、防潮、不开裂、耐洗消、易清洁、避免眩光。

6.2.2 洁净地面基层宜采用细石混凝土，强度等级不小于C25，基层的平整度应为3mm/2m。

6.2.3 当环境有腐蚀性气体或液体介质时，应满足耐腐蚀的要求。

6.2.4 当环境有易燃易爆气体或液体介质时，地面应满足不发火花和防静电要求。防静电地面涂层表面电阻率应为 $1.0 \times 10^6 \Omega \sim 1.0 \times 10^9 \Omega$。

6.3 洁净墙面、顶棚涂装

6.3.1 洁净墙面涂装应满足易清洁、耐消毒的要求。

6.3.2 洁净涂装的墙面、顶棚应平整、光滑、不起尘、避免眩光、便于除尘。

6.3.3 洁净墙面基层的平整度宜为 3mm/2m。

6.4 洁净涂料的选择和涂层配套

6.4.1 洁净涂装涂料应选用难燃、不开裂、耐清洗、表面光滑、不易吸水变质发霉并有一定耐久性的涂料。

6.4.2 洁净涂料的底涂料、中间涂料和面涂料应具有相容性。

6.4.3 涂层与碳钢基层的附着力不应低于 5MPa；涂层与水泥基层的附着力不应低于 1.5MPa，附着力的测试方法应符合现行国家标准《色漆和清漆 拉开法附着力试验》GB/T 5210 的有关规定。当涂层与基层的附着力采用拉开法测试确有困难时，可采用划格法测试，其附着力不应低于 1 级，划格法应符合现行国家标准《色漆和清漆 漆膜的划格试验》GB/T 9286 的有关规定。

6.4.4 水泥砂浆、混凝土、木材等基层宜选用环保型（水性）聚氨酯洁净涂料、（水性）环氧洁净涂料、无溶剂环氧洁净涂料。碳钢表面不宜直接选择水性涂料作为底涂层。

6.4.5 洁净涂装涂层配套可按本规范附录 C 选用。

附录 A 非膨胀(厚涂)型防火涂层厚度计算方法和防水涂层配套

A.0.1 在设计钢结构构件非膨胀(厚涂)型防火涂料涂层厚度时,可根据标准耐火试验得出的某一耐火极限的涂层厚度,推算不同构件达到相同耐火极限所需的同种防火涂料的涂层厚度。当 $g/\mu \geqslant 22$、$a_s \geqslant 9mm$ 和耐火极限 $\geqslant 1.0h$ 时,涂层厚度应按下式计算:

$$a = \frac{g_s/\mu_s}{g/\mu} a_s k \qquad (A.0.1)$$

式中:a——待涂构件防火涂层厚度(mm);

g_s——标准耐火试验时钢梁每延米质量(kg/m);

μ_s——标准耐火试验构件防火涂层接触面周长(m);

g——待涂构件每延米质量(kg/m);

μ——待涂构件防火涂层接触面周长(m);

a_s——标准耐火试验得出的构件防火涂料涂层厚度(mm);

k——系数,对于钢柱取1.25,对于钢梁及其他构件取1.0。

A.0.2 防火涂层的配套可按表 A.0.2 选用。

表 A.0.2 防火涂层配套

构件名称	环境及腐蚀性等级	涂层配套	构件耐火极限不低于(h)
钢柱、钢梁	室外强、中腐蚀室内潮湿环境	除锈等级和底涂料与主体结构相同; 室外膨胀(薄涂)型防火涂料3mm,2遍~3遍完成; 防腐蚀面涂层100μm	1.5

续表 A.0.2

构件名称	环境及腐蚀性等级	涂层配套	构件耐火极限不低于(h)
钢柱、钢梁	室外强、中腐蚀室内潮湿环境	除锈等级和底涂料与主体结构相同；钢丝网 ϕ1.5mm@20mm 1层；室外非膨胀（厚涂）型防火涂料20mm，3遍～4遍完成；聚丙烯酸酯乳液水泥浆2遍	1.5
钢柱、钢梁	室外弱腐蚀	除锈等级和底涂料与主体结构相同；钢丝网 ϕ1.5mm@20mm 1层；室外非膨胀（厚涂）型防火涂料20mm，3遍～4遍完成	1.5
钢楼板（板下）	室内中、弱腐蚀	除锈等级和底涂料与主体结构相同；膨胀（薄涂）型防火涂料2.5mm，2遍～3遍完成	1.0
钢柱	室内强腐蚀	除锈等级和底涂料与主体结构相同；钢丝网 ϕ1.5mm@20mm 1层；非膨胀（厚涂）型防火涂料30mm，4遍～5遍完成；聚丙烯酸酯乳液水泥浆2遍	2.0
钢柱	室内强腐蚀	除锈等级和底涂料与主体结构相同；膨胀（薄涂）型防火涂料4mm，2遍～3遍完成；防腐蚀面涂层100μm	2.0
钢柱	室内中、弱腐蚀	除锈等级和底涂料与主体结构相同；钢丝网 ϕ1.5mm@20mm 1层；非膨胀（厚涂）型防火涂料30mm，4遍～5遍完成	2.0
钢柱	室内中、弱腐蚀	除锈等级和底涂料与主体结构相同；膨胀（薄涂）型防火涂料4mm，2遍～3遍完成	2.0

续表 A.0.2

构件名称	环境及腐蚀性等级	涂层配套	构件耐火极限不低于(h)
预应力混凝土圆孔板（钢筋保护层10mm）	室内中、弱腐蚀	预应力混凝土楼板膨胀型防火涂料4mm（底涂料2遍~3遍，面涂料1遍）	1.0

注：1 在腐蚀环境下，膨胀型防火涂层外宜涂刷保护涂层，并应符合本规范第3.2.3条和本规范表5.3.5的规定。

2 防火涂料品种较多，同一耐火极限防火涂料涂层的厚度可能不同，选用时应根据其测试评估报告数据确定厚度。

附录B 防腐蚀涂装涂层配套

B.0.1 在气态介质作用下,碳钢表面防腐蚀涂层配套可按表B.0.1选用。

表 B.0.1 碳钢表面防腐蚀涂层配套

涂层名称	除锈等级	底层 涂料名称	遍数	厚度(μm)	中间层 涂料名称	遍数	厚度(μm)	面层 涂料名称	遍数	厚度(μm)	涂层总厚度(μm)	强腐蚀	中腐蚀	弱腐蚀
氯化橡胶涂层	不低于Sa2或St3	氯化橡胶底涂料	2	60	—			氯化橡胶面涂料	2	60	120	—	—	2~5
			2	60					3	100	160	—	2~5	5~10
			3	100					3	100	200	2~5	5~10	10~15
		环氧铁红底涂料	2	60	环氧云铁中间涂料	1	80		2	60	200	2~5	5~10	10~15
			2	60		1	80		3	100	240	5~10	10~15	>15
	Sa2½		2	70		1	70		2	60	200	2~5	5~10	10~15
		环氧富锌底涂料	2	70		2	110		3	100	240	5~10	10~15	>15
			2	70		2	110		3	100	280	10~15	>15	>15
			2	70		2	150		3	100	320	>15	>15	>15
氯磺化聚乙烯涂层	不低于Sa2或St3	氯磺化聚乙烯底涂料	2	60	—			氯磺化聚乙烯面涂料	2	60	120	—	—	2~5
			2	60					3	100	160	—	2~5	5~10
			3	100					3	100	200	2~5	5~10	10~15
		环氧铁红底涂料	2	60	环氧云铁中间涂料	1	80		2	60	200	2~5	5~10	10~15
			2	60		1	80		3	100	240	5~10	10~15	>15

续表 B.0.1

涂层名称	除锈等级	底层 涂料名称	底层 遍数	底层 厚度(μm)	中间层 涂料名称	中间层 遍数	中间层 厚度(μm)	面层 涂料名称	面层 遍数	面层 厚度(μm)	涂层总厚度(μm)	强腐蚀	中腐蚀	弱腐蚀
氯磺化聚乙烯涂层	Sa2½	环氧富锌底涂料	2	70	环氧云铁中间涂料	1	70	氯磺化聚乙烯面涂料	2	60	200	2~5	5~10	10~15
			2	70		1	70		3	100	240	5~10	10~15	>15
			2	70		2	110		3	100	280	10~15	>15	>15
			2	70		2	150		3	100	320	>15	>15	>15
高氯化聚乙烯涂层	不低于Sa2或St3	高氯化聚乙烯底涂料	2	60	—	—	—	高氯化聚乙烯面涂料	2	60	120	—	—	2~5
			2	60					3	100	160	—	2~5	5~10
			3	100					3	100	200	2~5	5~10	10~15
		环氧铁红底涂料	2	60	环氧铁红中间涂料	1	80		2	60	200	2~5	5~10	10~15
			2	60		1	80		3	100	240	5~10	10~15	>15
	Sa2½	环氧富锌底涂料	2	70		1	70		2	60	200	2~5	5~10	10~15
			2	70		1	70		3	100	240	5~10	10~15	>15
			2	70		2	110		3	100	280	10~15	>15	>15
			2	70		2	150		3	100	320	>15	>15	>15
高氯化聚乙烯含氟萤丹涂层	不低于Sa2或St3	高氯化聚乙烯含氟萤丹底涂料	2	70	—	—	—	高氯化聚乙烯含氟萤丹面涂料	2	50	120	2~5	5~10	10~15
			2	80					3	80	160	5~10	10~15	>15
	Sa2½		3	120					3	80	200	10~15	>15	>15
			3	120					4	120	240	>15	>15	>15
聚氯乙烯萤丹涂层	Sa2	聚氯乙烯萤丹底涂料	2	70				聚氯乙烯萤丹面涂料	2	60	130	2~5	5~10	10~15
			3	100					2	60	160	5~10	10~15	>15
			3	100					3	80	180	10~15	>15	>15

续表 B.0.1

涂层名称	除锈等级	底层 涂料名称	底层 遍数	底层 厚度(μm)	中间层 涂料名称	中间层 遍数	中间层 厚度(μm)	面层 涂料名称	面层 遍数	面层 厚度(μm)	涂层总厚度(μm)	涂层使用年限(a) 强腐蚀	涂层使用年限(a) 中腐蚀	涂层使用年限(a) 弱腐蚀
聚氯乙烯含氟萤丹涂层	Sa2	聚氯乙烯含氟萤丹底涂料	2	70	—	—	—	聚氯乙烯含氟萤丹面涂料	2	60	130	5~10	10~15	>15
			3	100	—	—	—		2	60	160	10~15	>15	>15
			3	100	—	—	—		3	80	180	>15	>15	>15
氟树脂改性聚氯乙烯涂层	不低于Sa2或St3	氟树脂改性聚氯乙烯底涂料	2	70	氟树脂改性聚氯乙烯中间涂料	—	—	氟树脂改性聚氯乙烯面涂料	2	70	140	5~10	10~15	>15
			2	70		1	40		2	70	180	10~15	>15	>15
			2	70		2	80		2	70	220	>15	>15	>15
聚氨酯涂层	不低于Sa2或St3	聚氨酯底涂料	2	60	—	—	—	聚氨酯面涂料	2	60	120	—	—	2~5
			2	60	—	—	—		3	100	160	—	2~5	5~10
			3	100	—	—	—		3	100	200	2~5	5~10	10~15
		环氧铁红底涂料	2	60	环氧云铁中间涂料	1	80		3	100	240	5~10	10~15	>15
			2	60		2	120		3	100	280	10~15	>15	>15
	Sa2½	环氧富锌底涂料	2	70		1	70		2	60	200	2~5	5~10	10~15
			2	70		1	70		3	100	240	5~10	10~15	>15
			2	70		2	110		3	100	280	10~15	>15	>15
			2	70		2	150		3	100	320	>15	>15	>15

续表 B.0.1

涂层名称	除锈等级	底层 涂料名称	底层 遍数	底层 厚度(μm)	中间层 涂料名称	中间层 遍数	中间层 厚度(μm)	面层 涂料名称	面层 遍数	面层 厚度(μm)	涂层总厚度(μm)	强腐蚀	中腐蚀	弱腐蚀
丙烯酸聚氨酯涂层	不低于Sa2或St3	丙烯酸聚氨酯底涂料	2	60	—	—	—	丙烯酸聚氨酯面涂料	2	60	120	—	—	2～5
			2	60					3	100	160	—	2～5	5～10
			3	100					3	100	200	2～5	5～10	10～15
		环氧铁红底涂料	2	60	环氧云铁中间涂料	1	80		3	100	240	5～10	10～15	10～15
			2	60		2	120		3	100	280	10～15	>15	>15
	Sa2½	环氧富锌底涂料	2	70		1	70		2	60	200	2～5	5～10	10～15
			2	70		1	70		3	100	240	5～10	10～15	>15
			2	70		2	110		3	100	280	10～15	>15	>15
			2	70		2	150		3	100	320	>15	>15	>15
环氧涂层	不低于Sa2或St3	环氧铁红底涂料	2	60	—	—	—	环氧面涂料	2	60	120	—	—	2～5
			2	60					3	100	160	—	2～5	5～10
			3	100					3	100	200	2～5	5～10	10～15
			2	60	环氧云铁中间涂料	1	80		2	60	200	2～5	5～10	10～15
			2	60		1	80		3	100	240	5～10	10～15	>15
	Sa2½	环氧富锌底涂料	2	70		1	70		2	60	200	2～5	5～10	10～15
			2	70		1	70		3	100	240	5～10	10～15	>15
			2	70		2	110		3	100	280	10～15	>15	>15
			2	70		2	150		3	100	320	>15	>15	>15

续表 B.0.1

涂层名称	除锈等级	底层			中间层			面层			涂层总厚度(μm)	涂层使用年限(a)		
		涂料名称	遍数	厚度(μm)	涂料名称	遍数	厚度(μm)	涂料名称	遍数	厚度(μm)		强腐蚀	中腐蚀	弱腐蚀
丙烯酸环氧涂层	不低于Sa2或St3	丙烯酸环氧底涂料	2	60	—	—	—	丙烯酸环氧面涂料	2	60	120	—	—	2~5
			2	60					3	100	160	—	2~5	5~10
			3	100					3	100	200	2~5	5~10	10~15
	Sa2$\frac{1}{2}$	环氧铁红底涂料	2	60	环氧云铁中间涂料	1	80		3	100	240	5~10	10~15	>15
			2	60		2	120		3	100	280	10~15	>15	>15
		环氧富锌底涂料	2	70		1	70		2	60	200	2~5	5~10	10~15
			2	70		1	70		3	100	240	5~10	>15	>15
			2	70		2	110		3	100	280	10~15	>15	>15
			2	70		2	150		3	100	320	>15	>15	>15
乙烯基酯(鳞片)涂层	Sa2$\frac{1}{2}$	乙烯基酯底涂料	2	70	—	—	—	乙烯基酯(鳞片)面涂料	2	160	230	2~5	5~10	10~15
醇酸涂层	St2不低于Sa2或St3	醇酸底涂料	2	60	—	—	—	醇酸面涂料	2	60	120	—	—	2~5
			2	60					3	100	160	—	2~5	5~10
			3	100					3	100	200	—	5~10	5~10
丙烯酸涂层	St2不低于Sa2或St3	丙烯酸底涂料	2	60	—	—	—	丙烯酸面涂料	2	60	120	—	—	2~5
			2	60					3	100	160	—	2~5	5~10
			3	100					3	100	200	—	5~10	5~10

续表 B.0.1

涂层名称	除锈等级	底层			中间层			面层			涂层总厚度(μm)	涂层使用年限(a)		
		涂料名称	遍数	厚度(μm)	涂料名称	遍数	厚度(μm)	涂料名称	遍数	厚度(μm)		强腐蚀	中腐蚀	弱腐蚀
氟碳涂层	Sa2½	环氧富锌底涂料	2	70		1	60	氟碳面涂料	2	70	200	5~10	10~15	>15
			2	70	环氧云铁中间涂料	2	100		2	70	240	10~15	>15	>15
			2	70		2	140		2	70	280	>15	>15	>15
			2	70		2	180		2	70	320	>15	>15	>15
			2	70	环氧玻璃鳞片中间涂料	1	100		2	70	240	10~15	>15	>15
			2	70		2	200		2	70	340	>15	>15	>15
聚硅氧烷涂层	Sa2½	环氧富锌底涂料	1	50	环氧云铁中间涂料	1~2	110	聚硅氧烷面涂料	1	50	240	10~15	>15	>15
			1	50		2	180		1	50	280	>15	>15	>15
		无机富锌底涂料	1	50		1~2	110		1	50	240	10~15	>15	>15
			1	50		2	180		1	50	280	>15	>15	>15

注：表中以面层涂料的品种作为涂层的名称。

B.0.2 在气态介质作用下，混凝土和水泥砂浆表面防腐蚀涂层配套可按表 B.0.2 选用。

表 B.0.2 混凝土和水泥砂浆表面防腐蚀涂层配套

涂层名称	基层处理	底层			面层			涂层总厚度(μm)	涂层使用年限(a)		
		涂料名称	遍数	厚度(μm)	涂料名称	遍数	厚度(μm)		强腐蚀	中腐蚀	弱腐蚀
氯化橡胶涂层	稀释的面涂料或稀释的环氧面涂料1遍,然后用腻子料局部找平	氯化橡胶底涂料	1	30	氯化橡胶面涂料	2	60	90	—	2~5	5~10
			2	60		2	60	120	2~5	5~10	10~15
			2	60		3	100	160	5~10	10~15	>15
			3	100		3	100	200	10~15	>15	>15
氯磺化聚乙烯涂层		氯磺化聚乙烯底涂料	1	30	氯磺化聚乙烯面涂料	2	60	90	—	2~5	5~10
			2	60		2	60	120	2~5	5~10	10~15
			2	60		3	100	160	5~10	10~15	>15
			3	100		3	100	200	10~15	>15	>15
高氯化聚乙烯涂层		高氯化聚乙烯底涂料	1	30	高氯化聚乙烯面涂料	2	60	90	—	2~5	5~10
			2	60		2	60	120	2~5	5~10	10~15
			2	60		3	100	160	5~10	10~15	>15
			3	100		3	100	200	10~15	>15	>15
高氯化聚乙烯含氟萤丹涂层	按现行国家标准《建筑防腐蚀工程施工规范》GB 50212的要求	高氯化聚乙烯含氟萤丹底涂料	1	40	高氯化聚乙烯含氟萤丹面涂料	2	60	100	2~5	5~10	10~15
			2	60		2	60	120	5~10	10~15	>15
			2	60		3	120	180	10~15	>15	>15
聚氯乙烯萤丹涂层		聚氯乙烯萤丹底涂料	1	40	聚氯乙烯萤丹面涂料	2	60	100	5~10	10~15	10~15
			2	60		2	60	120	10~15	>15	>15
			3	120		2	60	180	>15	>15	>15

续表 B.0.2

涂层名称	基层处理	底层			面层			涂层总厚度(μm)	涂层使用年限(a)		
		涂料名称	遍数	厚度(μm)	涂料名称	遍数	厚度(μm)		强腐蚀	中腐蚀	弱腐蚀
聚氯乙烯含氟萤丹涂层	按现行国家标准《建筑防腐蚀工程施工规范》GB 50212 的要求	聚氯乙烯含氟萤丹底涂料	1	40	聚氯乙烯含氟萤丹面涂料	2	60	100	5～10	10～15	>15
			2	60		2	60	120	10～15	>15	>15
			3	120		2	60	180	>15	>15	>15
氟树脂改性聚氯乙烯涂层		氟树脂改性聚氯乙烯底涂料	1	40	氟树脂改性聚氯乙烯面涂料	2	60	100	5～10	10～15	>15
			2	70		2	70	140	10～15	>15	>15
			3	110		2	70	180	>15	>15	>15
聚氨酯涂层	稀释的环氧面涂料1遍，然后用腻子料局部找平	聚氨酯环氧底涂料	2	60	聚氨酯面涂料	2	60	120	2～5	5～10	10～15
			2	60		3	100	160	5～10	10～15	>15
			3	100		3	100	200	10～15	>15	>15
丙烯酸聚氨酯涂层		丙烯酸聚氨酯底涂料	2	60	丙烯酸聚氨酯面涂料	2	60	120	2～5	5～10	10～15
			2	60		3	100	160	5～10	10～15	>15
			3	100		3	100	200	10～15	>15	>15
环氧涂层		环氧底涂料	2	60	环氧面涂料	2	60	120	2～5	5～10	10～15
			2	60		3	100	160	5～10	10～15	>15
			3	100		3	100	200	10～15	>15	>15
丙烯酸环氧涂层		丙烯酸环氧底涂料	2	60	丙烯酸环氧面涂料	2	60	120	2～5	5～10	10～15
			2	60		3	100	160	5～10	10～15	>15
			3	100		3	100	200	10～15	>15	>15
醇酸涂层		醇酸底涂料	1	30	醇酸面涂料	2	60	90	—	2～5	5～10
			2	60		2	60	120	2～5	5～10	10～15

续表 B.0.2

涂层名称	基层处理	底层 涂料名称	底层 遍数	底层 厚度(μm)	面层 涂料名称	面层 遍数	面层 厚度(μm)	涂层总厚度(μm)	涂层使用年限(a) 强腐蚀	涂层使用年限(a) 中腐蚀	涂层使用年限(a) 弱腐蚀
丙烯酸涂层	腻子料局部找平	丙烯酸底涂料	1	30	丙烯酸面涂料	2	60	90	—	2~5	5~10
丙烯酸涂层	腻子料局部找平	丙烯酸底涂料	2	60	丙烯酸面涂料	2	60	120	2~5	5~10	10~15
普遍内外墙涂层	腻子料局部找平	普通内外墙涂料2遍						60	—	2~5	5~10

B.0.3 涂层地面构造可按表 B.0.3 选用。

表 B.0.3 涂层地面构造

涂层地面名称	涂层地面总厚度	涂层地面构造 底层	涂层地面构造 中间层	涂层地面构造 面层	涂层地面使用年限(a) 强腐蚀	涂层地面使用年限(a) 中腐蚀	涂层地面使用年限(a) 弱腐蚀
环氧厚涂层地面	300μm	环氧封底料2遍	—	环氧厚涂料,厚300μm	—	2~5	2~5
环氧厚涂层地面	500μm	环氧封底料2遍	—	环氧厚涂料,厚500μm	—	2~5	2~5
环氧厚涂层地面	1mm	环氧封底料2遍	—	环氧厚涂料,厚1mm	2~5	2~5	5~10
环氧自流平涂层地面	1mm	环氧封底料2遍	—	环氧自流平涂料,厚1mm	2~5	2~5	5~10
环氧自流平涂层地面	2mm	环氧封底料2遍	—	环氧自流平涂料,厚2mm	2~5	2~5	5~10
环氧自流平涂层地面	3mm	环氧封底料2遍	环氧玻璃钢,厚2mm	环氧自流平涂料,厚1mm	5~10	5~10	10~15
环氧自流平涂层地面	6mm	环氧封底料2遍	环氧玻璃钢,厚2mm	环氧自流平涂料,厚1mm	5~10	5~10	10~15
环氧自流平涂层地面	8mm	环氧玻璃钢,厚1mm	环氧砂浆,厚5mm 环氧砂浆,厚6mm	环氧自流平涂料,厚1mm	5~10	5~10	10~15

续表 B.0.3

涂层地面名称	涂层地面总厚度	涂层地面构造			涂层地面使用年限(a)		
		底层	中间层	面层	强腐蚀	中腐蚀	弱腐蚀
乙烯基酯厚涂层地面	300μm	乙烯基酯封底料2遍	—	乙烯基酯厚涂料,厚300μm	—	2～5	2～5
	500μm		—	乙烯基酯厚涂料,厚500μm	—	2～5	2～5
	1mm			乙烯基酯厚涂料,厚1mm	2～5	2～5	5～10
聚氯乙烯含氟萤丹涂层地面	2mm	聚氯乙烯含氟萤丹封底料2遍	乙烯基酯砂浆,厚2mm	聚氯乙烯含氟萤丹面涂料2遍	2～5	5～10	5～10
	3mm		乙烯基酯砂浆,厚3mm		5～10	5～10	10～15
	5mm		聚氯乙烯含氟萤丹砂浆,厚5mm		5～10	5～10	10～15
氟树脂改性乙烯基酯涂层地面	2mm	氟树脂改性乙烯基酯地坪底涂料2遍	氟树脂改性乙烯基酯地坪涂料玻璃钢,厚2mm	氟树脂改性乙烯基酯地坪涂料2遍	5～10	5～10	10～15
	5mm		氟树脂改性乙烯基酯地坪砂浆,厚5mm		5～10	5～10	10～15
	8mm		氟树脂改性乙烯基酯地坪涂料玻璃钢,厚2mm；氟树脂改性乙烯基酯地坪砂浆,厚6mm		5～10	10～15	10～15

续表 B.0.3

涂层地面名称	涂层地面总厚度	涂层地面构造			涂层地面使用年限(a)		
		底层	中间层	面层	强腐蚀	中腐蚀	弱腐蚀
环氧玻璃鳞片涂层地面	300μm	环氧封底料2遍	—	环氧玻璃鳞片面涂料,厚300μm	—	2~5	2~5
	500μm		—	环氧玻璃鳞片面涂料,厚500μm	—	2~5	2~5
	3mm		环氧玻璃钢,厚2mm	环氧玻璃鳞片面涂料,厚1mm	5~10	5~10	10~15
	6mm		环氧砂浆,厚5mm		5~10	5~10	10~15
环氧玻璃鳞片涂层地面	300μm	环氧封底料2遍	—	环氧玻璃鳞片面涂料,厚300μm	—	2~5	2~5
乙烯基酯玻璃鳞片涂层地面	300μm	乙烯基酯封底料2遍	—	乙烯基酯玻璃鳞片涂料,厚300μm	—	2~5	2~5
	500μm		—	乙烯基酯玻璃鳞片涂料,厚500μm	—	2~5	2~5
	1mm		乙烯基酯玻璃鳞片胶泥,厚1mm	乙烯基酯玻璃鳞片面涂料1遍	2~5	2~5	5~10
	2mm		乙烯基酯玻璃鳞片胶泥,厚2mm		2~5	2~5	5~10
	3mm		乙烯基酯玻璃钢,厚2mm		5~10	5~10	5~10
	6mm		乙烯基酯砂浆,厚5mm		5~10	5~10	5~10

续表 B.0.3

涂层地面名称	涂层地面总厚度	涂层地面构造			涂层地面使用年限(a)		
		底层	中间层	面层	强腐蚀	中腐蚀	弱腐蚀
聚脲涂层地面	1mm	封底料2遍	—	聚脲涂料,厚1mm	—	2～5	5～10
	2mm		—	聚脲涂料,厚2mm	2～5	5～10	10～15
	3mm			聚脲涂料,厚3mm	2～5	5～10	10～15

B.0.4 埋入土中的构配件,涂层配套应符合现行国家标准《工业建筑防腐蚀设计规范》GB 50046 的有关规定。

附录C 洁净涂装涂层配套

C.0.1 薄涂型洁净涂装涂层配套可按表C.0.1选用。

表C.0.1 薄涂型洁净涂装涂层配套

基层材料	除锈等级	涂层构造								涂层总厚度(μm)
		底层			中间层			面层			
		涂料名称	遍数	厚度(μm)	涂料名称	遍数	厚度(μm)	涂料名称	遍数	厚度(μm)	
碳钢	Sa2$\frac{1}{2}$	环氧富锌底涂料	2	70	环氧云铁中间涂料	1	60	环氧洁净面涂料	2	70	200
	Sa2$\frac{1}{2}$	聚氨酯富锌底涂料	2	70	聚氨酯云铁中间涂料	1	60	聚氨酯洁净面涂料	2	50	180
混凝土墙面、顶面、柱、梁	—	（水性）环氧底涂	2	—	（水性）环氧胶泥满刮找平	1	—	（水性）环氧洁净面漆	2	70	—
	—	（水性）聚氨酯底涂	2	—	（水性）聚氨酯胶泥满刮找平	1	—	（水性）聚氨酯洁净面漆	2	50	—

C.0.2 厚涂型洁净地面涂层配套可按表C.0.2选用。

表C.0.2 厚涂型洁净地面涂层配套

类型	可选材料	结构	厚度（mm）	适用场合
涂装型洁净地面	（水性）环氧、（水性）聚氨酯	1 底漆2遍； 2 胶泥找平层； 3 面漆2遍	0.8～1.0	一般平整度要求洁净地面
自流平洁净地面	（水性）环氧、（水性）聚氨酯、无溶剂环氧	1 底漆2遍； 2 胶泥找平层； 3 自流平面漆1遍	2.0～3.0	较高平整度要求洁净地面
		1 底漆2遍； 2 玻璃钢隔离层，厚度1mm； 3 树脂砂浆层； 4 胶泥找平层； 5 自流平面漆1遍	5.0～6.0	高平整度要求并有耐腐蚀要求洁净地面
薄涂型导静电洁净地面	环氧	1 底漆2遍； 2 胶泥找平层； 3 导电层； 4 导电铜箔网； 5 导静电面漆2遍	0.8～1.0	一般平整度要求导静电洁净地面
自流平导静电洁净地面	（水性）环氧、（水性）聚氨酯、无溶剂环氧	1 底漆2遍； 2 胶泥找平层； 3 导电层； 4 导电铜箔网； 5 导静电自流平面漆1遍	2.0～3.0	较高平整度要求导静电洁净地面
		1 底漆2遍； 2 玻璃钢隔离层，厚度1mm； 3 树脂砂浆层； 4 胶泥找平层； 5 导电层； 6 导电铜箔网； 7 自流平面漆1遍	5.0～6.0	高平整度要求并有耐腐蚀要求导静电洁净地面

本规范用词说明

1 为便于在执行本规范条文时区别对待,对要求严格程度不同的用词说明如下:
　　1)表示很严格,非这样做不可的:
　　　　正面词采用"必须",反面词采用"严禁";
　　2)表示严格,在正常情况下均应这样做的:
　　　　正面词采用"应",反面词采用"不应"或"不得";
　　3)表示允许稍有选择,在条件许可时首先应这样做的:
　　　　正面词采用"宜",反面词采用"不宜";
　　4)表示有选择,在一定条件下可以这样做的,采用"可"。
2 条文中指明应按其他有关标准执行的写法为:"应符合……的规定"或"应按……执行"。

引用标准名录

《建筑设计防火规范》GB 50016
《工业建筑防腐蚀设计规范》GB 50046
《洁净厂房设计规范》GB 50073
《石油化工企业设计防火规范》GB 50160
《建筑防腐蚀工程施工规范》GB 50212
《建筑内部装修设计防火规范》GB 50222
《色漆和清漆 拉开法附着力试验》GB/T 5210
《涂覆涂料前钢材表面处理 表面清洁度的目视评定 第1部分:未涂覆过的钢材表面和全面清除原有涂层后的钢材表面的锈蚀等级和处理等级》GB/T 8923.1
《涂覆涂料前钢材表面处理 表面清洁度的目视评定 第2部分:已涂覆过的钢材表面局部清除原有涂层后的处理等级》GB/T 8923.2
《色漆和清漆 漆膜的划格试验》GB/T 9286
《建筑构件耐火试验方法 第1部分:通用要求》GB/T 9978.1
《饰面型防火涂料》GB 12441
《钢结构防火涂料》GB 14907
《混凝土结构防火涂料》GB 28375
《构件用防火保护材料 快速升温耐火试验方法》GA/T 714
《石油化工钢结构防火保护技术规范》SH/T 3137

中华人民共和国国家标准

工业建筑涂装设计规范

GB/T 51082-2015

条文说明

制 订 说 明

《工业建筑涂装设计规范》GB/T 51082—2015，经住房城乡建设部 2015 年 1 月 21 日以第 725 号公告批准发布，是结合我国近年来涂装技术的发展并借鉴国内外其他技术标准和规定制定完成的。

本规范制定过程中，编制组结合我国的实际情况，进行了详细的调查研究和涂层配套的防火、防腐蚀试验，总结了我国化工工程建设的实践经验，参考了国内外先进技术法规、技术标准。

为了便于广大设计、施工、科研等单位有关人员在使用本规范时能正确理解和执行条文规定，《工业建筑涂装设计规范》编制组按章、节、条顺序编写了本规范的条文说明，对条文规定的目的、依据以及执行中需要注意的有关事项进行了说明和解释。但是，本条文说明不具备与正文同等的法律效力，仅供使用者作为理解和把握规范规定的参考。

目　次

1 总　则 …………………………………………………（47）
2 术　语 …………………………………………………（48）
3 基本规定 ………………………………………………（49）
　3.1 基层表面处理 ……………………………………（49）
　3.2 涂层构造和涂料使用要求 ………………………（51）
4 防火涂装 ………………………………………………（52）
　4.1 一般规定 …………………………………………（52）
　4.2 防火涂装保护范围和构件的耐火极限 …………（53）
　4.3 防火保护涂料及保护层厚度 ……………………（54）
　4.4 防火保护涂层构造 ………………………………（55）
5 防腐蚀涂装 ……………………………………………（56）
　5.1 腐蚀性等级 ………………………………………（56）
　5.2 防腐涂层使用年限和厚度 ………………………（57）
　5.3 防腐涂料的选择和涂层配套 ……………………（58）
6 洁净涂装 ………………………………………………（62）
　6.1 一般规定 …………………………………………（62）
　6.4 洁净涂料的选择和涂层配套 ……………………（62）
附录 C 洁净涂装涂层配套 ……………………………（63）

1 总　　则

1.0.2 涂料的应用范围非常广,本规范重点规定了工业建(构)筑物设计中常见的且与工艺条件、安全生产及耐久性相关的防火、防腐蚀和洁净涂装的设计技术要求,没有包括其他特种涂料涂装的技术内容。

涂装设计内容一般应包含涂料名称、涂层配套、涂层厚度、颜色和除锈等级等。

2 术 语

2.0.2 相容性是涂料品种之间非常重要的技术要求,通常的要求是要保证不同涂料品种之间不能引起不良反应,或在原有涂层上覆涂其他产品时不能引起不良反应。

3 基本规定

3.1 基层表面处理

3.1.2 防腐蚀涂层的防腐蚀能力与设计使用年限主要由四项因素决定：除锈等级、底漆的附着力、涂层的质量和涂层厚度。然而钢结构表面的除锈质量和等级，往往起着非常重要的作用，钢结构的除锈等级应由设计者根据涂料品种、使用年限和施工条件合理规定。

防腐蚀涂层的耐久性与涂膜的附着力关系密切，不少建筑钢构件涂膜脱落的原因之一就是除锈质量不符合要求。实践证明，基层除锈十分重要，除锈达不到Sa2级或St3级，一般涂层寿命超不过4年。但实际用手工除锈较难达到St3级，只有采用动力工具认真施工才能达到，这是考虑到国内的一部分施工企业全部采用抛丸、喷砂除锈确有困难的实际情况确定的。由于受投资和施工条件的限制，现在还有一部分企业采用手工除锈，加上缺乏严格的施工管理，使得手工除锈不能达到应有的质量标准，造成钢结构涂层的提前失效。近年来，防腐蚀涂料采用了许多优质的树脂，并经过改性，本身的防腐蚀性能很优秀，如不能保证基层除锈质量，则无法发挥优质涂料的作用。而按目前的施工条件，采用动力工具除锈比较容易达到St3级的要求，因此对基层的要求可以将部分涂料和设计使用年限要求较低的一般构件进行放宽，允许采用St3级除锈。化学除锈以"Be"级表示。要求钢材表面无可见的油脂和污垢，酸洗未尽的氧化皮、铁锈和油漆涂层的个别残留点允许用手工或机械方法除去，但最终该表面应显露金属原貌，无再度锈蚀。

沥青漆、油性漆对基层的除锈要求较低，手工除锈可以满足质量要求。乙烯磷化底漆应采用抛丸或喷砂除锈,喷镀金属层和富锌类底涂料除锈的等级不能低于 Sa2$\frac{1}{2}$级,否则将影响附着力,其中无机富锌底漆最好达到 Sa3 级。还有一些带锈底漆和采用化学转化除锈的方法,其基层除锈等级因产品不同而异,而且与构件的实际锈蚀程度有关,因此不能简单地由设计决定,而应结合现场情况并按其产品检测报告确定。

一个建筑物是由许多构件组成的,一般认为重要构件是指在一个结构中主要的框架柱、框架梁、承受动力荷载的支撑体系和跨度超过 12m 的结构承载体系,以及维修难度很大的部位处的构件等。

3.1.7 涂层地面的混凝土必须具有一定的强度,表面应平整,无突出砂子和石子,不宜用水泥砂浆找平,最好一次完成。无地下室的地面基层是指首层且无地下室的地面,要求做防潮层的目的是保持基层的干燥,利于地面涂层的耐久性。

3.1.8～3.1.10 涂层的基层要求牢固,而水泥砂浆找平容易起壳,因此不推荐采用。聚合物水泥砂浆是由水泥、骨料和可以分散在水中的有机聚合物搅拌而成的。聚合物水泥砂浆与水泥砂浆相比,其黏结力大为增加,且附着力好,可用于喷涂、滚涂、弹涂和刮涂施工中。

经验证明,混凝土基层的含水率对涂层的附着力影响很大,因此含水率限制在 6% 以内,即使对湿固化型涂料也要求干燥,所以不能理解为湿固化型涂料对基层干燥无要求。常见的湿固化型涂料如环氧、聚氨酯等涂料,要求基层含水率可以超过 6%,但也不宜太湿,表面应该是干的,否则涂料虽然会固化,但与基层的附着力会随着含水率的增加而降低。

新浇筑的混凝土表面呈强碱性,但在空气中会逐渐碳化。按经验,普通硅酸盐混凝土浇筑 3 个月以后表面 pH 值可降至 8 左右,则与各种涂料不会产生不良反应。如果未碳化也未经中性化处理的混凝土与涂料接触,其中强碱物质就会对多数涂料产生不良影响。

3.1.12 铝合金和镀锌基层一般在空气中与水分和氧气作用后，表面会形成锌、铝的氧化物和氢氧化物，这层膜是坚硬而稳定的，不需要去除，而且对涂装有利，但是在有些化学介质（如氯、硫酸酸雾等）的作用下形成的腐蚀物仍是松散的，需要去除。

3.2 涂层构造和涂料使用要求

3.2.1 防腐蚀涂层有一些品种为底、中、面涂层配套，但也有一些品种不用中间层涂料（详见附录B），所以是否有中间层涂料要按涂料品种和配套规定执行。本规范的涂装因使用部位不同，涂料品种和构造均有差异，涂装设计宜选用本规范所列品种。但鉴于新品种的涂料不断出现，为保证质量，对本规范未列入的品种，凡经有关部门鉴定的、经过工程调查证明性能优良的涂料也可采用。

3.2.2、3.2.3 防腐蚀面涂层可以保护防火涂层不受腐蚀性气体的腐蚀，也可封闭防火涂层中有效的化学成分，从而提高防火涂层的耐久性。但据文献资料介绍，面涂层过厚会抑制和影响膨胀性防火涂料的发泡，为此规范组通过多组不同厚度面涂层的配套试件燃烧试验，经观察和测量，发现面涂层越厚，防火涂层发泡膨起越小，所以对于膨胀型的防火涂料，面涂层不能过厚，否则会抑制防火涂料在火灾时的膨胀性能，经过不同厚度防腐蚀面涂层的比对燃烧试验，确定厚度不大于$100\mu m$。

4 防 火 涂 装

4.1 一 般 规 定

4.1.1、4.1.2 在一定的火灾危险性中,建筑物的耐火等级决定构配件的耐火极限,建筑构配件的耐火性能应首先从选材方面解决。对耐火要求较高的建筑构配件宜优先选用混凝土结构,这样可避免采用钢结构再做防火保护;装修材料也应按照规定选用不燃材料或符合燃烧等级的难燃材料。用防火涂装的方法提高构配件的耐火等级或性能只是手段之一,而且从总体来说并不经济。防火涂装一般适用于需要提高耐火极限,但不适合采用混凝土或砂浆类材料进行防火保护的钢构件或混凝土构件和需要提高耐火性能的可燃性装饰材料。钢结构的防火保护目前主要有两种方法,一种是采用普通混凝土或水泥砂浆覆面,其优点是取材方便,价格低廉,耐水性和耐久性好,而且表面强度高,耐冲击,但是比较笨重,当耐火极限要求为1.5h时,一般保护层厚度为50mm;另一种方法是防火涂料,其特点是质轻,当耐火极限要求为1.5h时,保护层厚度一般不大于20mm。随着防火涂料技术的不断完善和提高,越来越多工程中的构件采用防火涂料进行保护,并且保护层厚度越来越薄。

对混凝土而言,现浇混凝土可以用加厚保护层来满足耐火极限的要求,目前应用的预制构件大部分也不存在耐火极限的问题,只有预应力混凝土圆孔板,因耐火极限一般均小于1.0h,达不到二级建筑耐火等级的要求,因此本规范只提预应力混凝土构件。即便如此,构件也可以采用抹水泥砂浆的办法解决耐火极限的要求。所以,本规范的混凝土采用防火涂料只是作为一种选择的方案。

现行国家标准《建筑内部装修设计防火规范》GB 50222对工业厂房各部位的装修材料的燃烧性等级提出了具体要求,工业建筑在大多数情况下应通过选材满足装修材料的防火要求,采用防火涂料提高装修材料的耐火性能,只宜作为辅助手段在特殊情况下采用,而且涂料充其量仅能使可燃材料的燃烧等级提高到B1级,不可能达到A级(不燃材料)。

4.1.3 防火涂料分为薄涂型防火涂料(B型)和厚涂型防火涂料(H型)。薄涂型防火涂料也称为膨胀型防火涂料,主要由粘结剂、催化剂、发泡剂、碳化剂及填料等配置而成,涂层厚度一般为2mm～7mm,耐火极限一般在2h以下,但也有超过的,这种涂料遇火焰高温时能分解出大量惰性气体,并使涂层膨胀形成蜂窝状的阻火层,有一定的装饰性,一般推荐用于暴露的钢结构表面。厚涂型防火涂料也称为非膨胀型防火涂料,主要由无机隔热骨料和胶结剂加化学助剂等配置而成,涂层厚度一般为8mm～50mm,有隔热耐火功效,耐火极限可达3h,耐老化性能较好,但强度不高,耐冲击性能差,表面粗糙。两种防火涂料性质和工作状态不同,但最终都是耐火隔热。

据统计,火灾发生后导致死亡的绝大部分原因是烟雾和有毒气体导致的窒息和中毒,所以,防火涂料本身在火灾发生时不能再产生次生灾害。

防火涂料的抗冲击能力,主要是指材料应满足粘结强度、抗压强度和抗振性的技术要求,详见现行国家标准《钢结构防火涂料》GB 14907。

4.1.9 经防火保护涂料涂装的钢构件的耐火极限不计算钢构件的耐火极限。

4.2 防火涂装保护范围和构件的耐火极限

4.2.2 现行国家标准《石油化工企业设计防火规范》GB 50160和现行行业标准《石油化工钢结构防火保护技术规范》SH/T 3137

是两本行业性很强的规范,在我国其他行业也有防火保护范围的规定,涉及其他行业的防火保护范围应按其他行业规范执行。

4.3 防火保护涂料及保护层厚度

4.3.1 饰面型防火涂料与钢结构、混凝土结构防火涂料的性质不同,主要用于可燃材料,通过阻燃作用延缓可燃材料的燃烧时间,有一定的防火保护和装饰作用,主要适用于木材、塑料、纤维板等装修材料。主要品种有氨基膨胀型防火涂料、丙烯酸乳液膨胀型防火涂料、各种有机聚合物防火涂料和无机高分子类水性防火涂料等。

4.3.2 在高温及火焰作用下,膨胀型防火涂料的涂层受热达到一定温度后可膨胀到 10 倍～50 倍以上,这样在被涂面与火源之间形成海绵状碳化层,阻止热量向底材传导,同时产生不燃性气体,使可燃性底材的燃烧速度和燃烧温度明显降低。在这个过程中发泡剂起了非常大的作用,发泡剂是一种助剂,能在涂层受热时分解出大量不燃性气体,使涂层产生膨胀形成海绵状细泡结构,发泡剂中主要含有三聚氰胺、双氰胺、氧化石蜡、多聚磷酸铵、硼酸铵、双氰胺甲醛树脂等,但这些化学物质会随着时间衰减,特别在潮湿环境中衰减更是严重,所以建议膨胀型防火涂料外面应涂刷适当厚度的封闭涂料。防火涂料生产企业非常多,虽然都经过公安消防部门的认证,但质量还是有差别的。工程中采用膨胀型防火涂料时,应按国家防火测试中心的检测评估报告数据作为防火涂料涂层厚度、耐火时间的设计和验收依据。防火涂料选择时,应优先选择可以提供相应耐久性数据及可靠案例证明的产品,可按照产品耐久性数据作为老化作用的影响进行厚度推荐。

4.3.3 非膨胀型防火涂料的厚度应该首先执行国家防火测试中心的检测评估报告中的数据,这是经过实际测试的,其权威性更强;附录 A 的推测方法作为一个补充,在没有相关数据的情况下可作为理论推测。

4.3.4 工程中采用膨胀型防火涂料或非膨胀型防火涂料实施保护时,应采用《钢结构构件防火保护系统耐火性能评估方法》进行评估的报告数据作为防火涂料涂层厚度、耐火时间的设计和验收依据。

4.4 防火保护涂层构造

4.4.1 防火涂层下面的防腐蚀涂层一般包含底涂层、中间涂层。有无中间涂层,要根据防腐蚀涂料品种而定,有些品种防腐蚀涂料不用中间涂层,这样是可以没有中间防腐蚀涂层的。防火涂层的耐腐蚀性能与其成分有关,市场上的产品大部分不具有耐化工大气腐蚀性或耐腐蚀性能不高。近年来,随着技术的进步,出现了新型的防火涂料,这种涂料具有一定的防腐蚀性能,设计者可根据国家认定检测机构的相关测试评估报告和产品应用说明酌情选用。

4.4.3 非膨胀型防火涂层由于粘结强度低、厚度厚,容易开裂和脱落,特别在温差变化大的地区尤其严重,一般情况下加钢丝网可以弥补这方面的不足。目前,防火涂料生产企业很多,产品的技术水平存在一定差异,但由于钢结构防火涂料的耐火极限与涂层厚度是在试验室条件下测出的,所以,厚度应由防火涂料生产企业根据国家防火测试中心的检测评估报告给出,设计人员可根据具体情况确定钢丝网的规格。

5 防腐蚀涂装

5.1 腐蚀性等级

5.1.1 腐蚀性等级是依据腐蚀性介质长期作用下对建筑材料的腐蚀效应确定的,建筑材料的腐蚀与所处环境中的介质种类、温度和湿度密切相关。本章中的防腐蚀涂装设计适用于下列构配件或部位的表面防护:

(1)气体或粉尘等腐蚀性介质作用的建筑结构构配件;

(2)腐蚀性液体或固体作用的基础、地面、墙面、池槽等部位。

5.1.2 气态介质以含量、环境相对湿度为条件时的腐蚀性等级,是在现行国家标准《工业建筑防腐蚀设计规范》GB 50046 气态介质腐蚀性等级的基础上做了一些补充和局部修改。

(1)补充了氯、氯化氢、氮氧化物、硫化氢、氟化氢、二氧化硫、二氧化碳等介质低浓度的腐蚀性等级;

(2)将介质含量的精确度由 $0.01mg/m^3$ 改为 $0.1mg/m^3$。

5.1.3 气态介质以碳钢第一年的厚度损失值为条件的腐蚀性等级,是沿用国际标准 Corrosion protection of steel structures by protective paint systems ISO 12944 的规定。气态介质对普通碳钢的腐蚀性等级,本规范与国际标准 Corrosion protection of steel structures by protective paint systems ISO 12944 对应的等级大致可按表1确定。

表1 气态介质对普通碳钢的腐蚀性等级

无保护的碳钢在气态介质暴露1年后的厚度损失值(μm)	介质对碳钢的腐蚀性等级	对应国际标准《色漆和清漆 防护漆体系对钢结构的防腐蚀保护 第2部分:环境分类》ISO 12944-2的环境腐蚀性等级
80~200	强腐蚀	C5

续表 1

无保护的碳钢在气态介质暴露1年后的厚度损失值(μm)	介质对碳钢的腐蚀性等级	对应国家标准《色漆和清漆 防护漆体系对钢结构的防腐蚀保护 第2部分：环境分类》ISO 12944-2的环境腐蚀性等级
50～80	中腐蚀	C4
25～50	弱腐蚀	C3
<25	微腐蚀	C2 或 C1

5.1.4 酸雨是指 pH 值小于 5.6 的自然降水（包括雨、雪、霜、雾、雹、霰等）。酸雨区按其年均降水 pH 值和酸雨率（酸雨次数与降雨次数之比）可分为五级，见表 2。

表 2 酸雨区的划分

分 区	年均降水 pH 值	酸雨率(%)
非酸雨区	≥5.60	0～20
轻酸雨区	5.30～5.60	10～40
中度酸雨区	5.00～5.30	30～60
较重酸雨区	4.70～5.00	50～80
重酸雨区	<4.70	70～100

酸雨会引起金属材料和水泥、混凝土、石材等非金属材料的严重腐蚀破坏。据某酸雨地区测定，碳钢的腐蚀速率达 $200\mu m/a$，混凝土的腐蚀速率达 $400\mu m/a$。

5.1.5 沿海地区气态介质腐蚀程度与地区的温度、湿度、地域、地貌、风向、风力和海水的成分、浓度等因素有关。以沿海岸线 1km 以内对碳钢为中腐蚀，1km～10km 为弱腐蚀，是依据国内外的有关资料确定的。

5.2 防腐涂层使用年限和厚度

本节内容依据现行国家标准《工业建筑防腐蚀设计规范》GB 50046，并参考苏联 1985 年的《建筑防腐蚀设计规范》和国际标准

Corrosion protection of steel structures by protective paint systems ISO 12944 的有关规定,做了一些补充和修改。

(1)增加了对微腐蚀环境的规定;

(2)涂层厚度不但与腐蚀环境的腐蚀性等级和使用年限有关,也与涂料品种有关,这在本规范表 5.2.3 的注中有说明;

(3)适当提高了砌体结构表面的涂层厚度。

5.2.2 结构构件表面的涂装防护,一般均有一个使用期限。设计者要根据所要求的使用年限做涂装设计,也可作为原有涂装评估的一个参考。涂层使用年限理论上长一点好,这样可减少中间维护的时间以及间接费用,有时特别重要的工程要求使用年限较长,甚至超过 15 年,设计者应根据使用年限的要求制定合理的设计方案并选用适合的涂装材料。如奥运会项目的钢结构涂装设计使用年限就要求大于 15 年,它的涂装方案是经过了专家论证后确定的。

5.2.4 轻型钢结构一般指荷载较轻、截面较小、构件较薄的钢结构体系,一般不用于强腐蚀环境,当用于腐蚀环境时,应加强防护。

5.2.6 聚合物水泥浆涂层具有良好的耐渗透及防腐蚀性能。

5.2.8 钢筋混凝土池槽的防腐蚀衬里有多种方法,这里只讲涂层衬里的技术内容。因为事故池的介质比较复杂,介质的浓度和温度均不好确定,故一般应视具体工程而定。聚氯乙烯含氟萤丹胶泥 2mm 为双组分,一般一遍成活干燥时间为 48h,两遍成活干燥时间为 24h。

在实际工程中,钢筋混凝土池槽的防腐蚀衬里还有一些行之有效的材料,这里因为缺少完整的资料没有列进。工程中经过评估论证,以及工程实例证明行之有效的材料和工程做法也可作为设计者的设计选项。

5.3 防腐涂料的选择和涂层配套

5.3.2 挥发性有机化合物是指能参加气相光化学反应的有机化

合物。涂料施工现场会有近50%的挥发性有机化合物直接排放到大气中，所以为了保护生产人员和施工人员的生命安全，对不停产的建筑物和通风不良的施工环境进行涂装施工时，应选用挥发性有机化合物含量低的环保型涂料。

5.3.3 涂层附着力是涂料物理机械性能的重要指标之一，涂层的附着力除了取决于所选用的涂料基料外，还与底材的表面预处理、施工方式以及涂膜的保养和养护有十分重要的关系，例如在潮湿、有锈蚀、有油脂的金属表面涂装，附着力就差。

5.3.4 防腐蚀面涂料耐腐蚀性能与其化学、物理特性关系密切，一方面要有坚固致密的漆膜，还要有稳定的化学性能，对有些特殊腐蚀环境，化学稳定性尤其重要。目前生产防腐蚀涂料的企业非常多，推荐的涂料品种均是工程中常用，且经过实际工程应用证明使用效果良好的。如聚氯乙烯含氟萤丹涂料具有很好的耐酸碱盐的性能，还能够在一定浓度溴水腐蚀环境中使用数年而不失效。氯化橡胶涂料耐酸碱的性能差一些，在强腐蚀环境中，酸碱的浓度比较高，这里不建议用在强腐蚀环境中。

5.3.5 在腐蚀环境下钢结构防火涂料是否需要设面层材料进行防护，取决于防火涂料自身的耐腐蚀性能和耐久性能。至今，国内尚无有优良耐腐蚀性能的防火涂料，而防火涂料的耐火性能又会随时间老化下降。

根据现行国家标准《钢结构防火涂料》GB 14907 的规定，室内防火涂料的主要技术性能没有耐酸、碱、盐的规定，因此，室内防火涂料不耐酸、碱、盐类介质的腐蚀。

室外防火涂料虽然有 6 项耐久性（耐曝热性、耐湿热性、耐冻融循环性、耐酸性、耐碱性和耐盐雾腐蚀性）的规定，但市场上出售名义上为"合格"的室外防火涂料未必具有这 6 项性能。理由有两点：①按规定，6 项耐久性指标有 2 项不合格也可以最终判为合格产品（见现行国家标准《钢结构防火涂料》GB 14907 第 7.3.2 条）；②按规定，耐酸性和耐碱性可仅进行其中一项测试（见现行国家标准《钢结构防火涂料》GB 14907 第 5.2.2 条)。但规范编制组对市场销售合格的防火涂料进行复核试验时,发现有的是耐酸不耐碱,有的是耐碱不耐酸,因此,对未标明耐酸性合格的防火涂料只能认作不耐酸,未标明耐碱性合格的防火涂料只能认作不耐碱。

按规定,每一项耐久性试验之后,其耐火性能允许下降35%(见现行国家标准《钢结构防火涂料》GB 14907 第 6.6.3 条)。即使室外防火涂料 6 项耐久性指标试验都合格,它也不能保证经过若干年后的耐火性能不下降。对于耐水性、耐冷热循环性、耐热性、耐冻融循环性的试验,"若干年"可能是微、弱腐蚀环境下的 5 年~10 年;对于耐酸性、耐碱性、耐盐雾腐蚀性试验,"若干年"可能是强、中腐蚀环境下的 5 年~10 年。也就是说,原设计耐火极限 1.5h 的防火涂料,使用 5 年~10 年后的耐火极限只有 1.0h,此时若发生火灾,防火涂料达不到原设计的耐火性能。对此,设计人员应根据设计规范的规定和产品的性能等因素,采取相应措施,满足在使用期内发生火灾时都能达到耐火性能 1.5h 的要求。相应措施有:①选用耐腐蚀性能优良的防火涂料,选用 6 项耐久性试验都合格、附加耐火性能不衰退或衰退极小的防火涂料;②适当增加防火涂层的厚度,设计时应考虑 35% 的衰退;③在防火涂料上设防腐蚀的面层;④将已采取措施的试件放在生产环境中进行实际的考证,定期检验,例如:当构配件需要满足 1.5h 的耐火极限时,可以将试件放于现场环境,每隔 10 年检查其耐火时间是否仍满足 1.5h 的要求,如若满足则可继续使用,如若不满足则应维修;⑤其他措施,例如定期刮取现场的膨胀型防火涂料粉末,通过与原设计的膨胀率比较,确定耐火性能的衰退情况。

一般超薄型防火涂料均为膨胀型的,在高温及火焰作用下,涂层受热达到一定温度后即膨胀到 10 倍~50 倍以上,这样在被涂面与火源之间形成海绵状碳化层,阻止热量向底材传导,同时产生不燃性气体,使可燃性底材的燃烧速度和燃烧温度明显降低。在这个过程中发泡剂起了非常大的作用,发泡剂能在涂层受热时分解出大量灭火性气体,使涂层发生膨胀形成海绵状细泡结构,这类物质有三聚氰胺、双氰胺、氧化石蜡、多聚磷酸铵、硼酸铵、双氰胺甲醛树脂等,但这些化学物质会随着时间衰减,特别在潮湿环境中衰减更是严重,所以为了保证膨胀型防火涂料的耐久性,一般应在其表面涂刷防腐蚀面涂层封闭。但过厚的面涂层又影响膨胀型防火涂料在火灾时的膨胀,经过规范组多次试验,确定面涂层的厚度不应超过 $100\mu m$。

在各种腐蚀环境下轻质耐火混凝土防火保护层或水泥砂浆防火保护层是否需要在其上再设防腐蚀面层材料进行防护,取决于这些防火材料自身的耐腐蚀性能和耐久性能。耐火混凝土和水泥砂浆的主要胶结料是水泥,因此,其耐蚀性与普通混凝土、砂浆大致相同。表 5.3.5 所列对耐火混凝土、耐火水泥砂浆的表面保护标准略低于现行国家标准《工业建筑防腐蚀设计规范》GB 50046 对砌体结构的表面防护标准。

6 洁净涂装

6.1 一般规定

6.1.1、6.1.2 现在洁净生产厂房和车间越来越多地使用工厂化的建筑材料装饰,装饰材料的表面涂层在工厂中已经完成,它的表面光洁度、环保、卫生等指标一般均满足了洁净厂区的要求。但特别要注意安装要符合要求,接缝处要严密,整体要平整。洁净涂装一般用于建筑地面、墙面及梁、板、柱等部位的表面洁净防护。

6.4 洁净涂料的选择和涂层配套

6.4.1 洁净涂层不仅要求具有难燃、不开裂、耐清洗、表面光滑、不易吸水变质发霉的特性,其耐久性也是对涂层的基本要求,设计者应结合工艺技术要求和产品特点,涂层的耐久性也应是重点考虑的因素。

6.4.4 (水性)聚氨酯洁净涂料、(水性)环氧洁净涂料、无溶剂环氧洁净涂料都是非常高效环保的洁净涂料,因为它的溶剂主要是水,因而基本没有挥发性有机化合物(VOC),但要注意在碳钢基层涂刷时,因为有水,对碳钢的防腐蚀不利,附着力也较差,故规定碳钢不宜直接采用水性涂料作为底层涂料。

附录C 洁净涂装涂层配套

本附录所列洁净涂装涂层配套为一般常用做法,实际工程中还有一些其他配套做法,使用时应按照产品说明书的要求进行设计选用,特殊使用要求的涂层配套可根据产品技术条件由生产企业指导并配合设计。

一般洁净涂料产品技术要求可参考表3、表4、表5。

表3 洁净底层涂料产品技术要求

项　　目		指　　标	测 试 方 法
在容器中状态		搅拌后均匀无硬块	打开容器,用调刀或搅棒搅拌,允许容器底部有沉淀,若经搅拌易于混合均匀,则评为合格。双组分涂料应分别进行检验
固体含量（混合后）		≥50%或商定	现行国家标准《色漆、清漆和塑料　不挥发物含量的测定》GB/T 1725
干燥时间	表干	≤3h	现行国家标准《漆膜、腻子膜干燥时间测定法》GB/T 1728乙法
	实干	≤24h	现行国家标准《漆膜、腻子膜干燥时间测定法》GB/T 1728甲法
适用期		合格	将混合后的试样约250mL放入容量约为300mL、内径70mm～80mm的马口铁罐或玻璃瓶内,达到规定时间,检验容器中的内容物,若经搅拌没有沉淀或搅拌后易于分散均匀,而且与刚混合后相比黏度没有显著的增长,没有胶化,不影响施工性能,则认为是适用期合格。适用期根据施工条件而定,通过配合比的调整,人为控制固化时间,以便于施工和保证质量

续表 3

项　　目	指　　标	测　试　方　法
柔韧性	≤2mm	现行国家标准《漆膜柔韧性测定法》GB/T 1731

注：洁净涂料的固体含量一般高一点好，目前产品为50％～60％左右。当建设方对固体含量有特殊要求时，施工方应根据技术指标的要求提供合格的产品。

表4 洁净涂料面漆产品技术要求

项　　目		指　　标	测　试　方　法
在容器中状态		搅拌后均匀无硬块	打开容器，用调刀或搅棒搅拌，允许容器底部有沉淀，若经搅拌易于混合均匀，则评为合格。双组分涂料应分别进行检验
固体含量（混合后）		≥60％	现行国家标准《色漆、清漆和塑料　不挥发物含量的测定》GB/T 1725
干燥时间	表干	≤4h	现行国家标准《漆膜、腻子膜干燥时间测定法》GB/T 1728乙法
	实干	≤24h	现行国家标准《漆膜、腻子膜干燥时间测定法》GB/T 1728甲法
适用期		合格	将混合后的试样约250mL放入容量约为300mL、内径70mm～80mm的马口铁罐或玻璃瓶内，达到规定时间，检验容器中的内容物，若经搅拌没有沉淀或搅拌后易于分散均匀，而且与刚混合后相比黏度没有显著的增长，没有胶化，不影响施工性能，则认为是适用期合格。适用期根据施工条件而定，通过配合比的调整，人为控制固化时间，以便于施工和保证质量
铅笔硬度（擦伤）		≥H（H为铅笔的硬度）	现行国家标准《色漆和清漆　铅笔法测定漆膜硬度》GB/T 6739，铅笔为中华牌101绘图铅笔

续表4

项　　目	指　　标	测 试 方 法
耐冲击性	50cm	现行国家标准《漆膜耐冲击测定法》GB/T 1732
柔韧性	≤2mm	现行国家标准《漆膜柔韧性测定法》GB/T 1731
附着力（画格间距1mm）	≤1级	现行国家标准《色漆和清漆　漆膜的划格试验》GB/T 9286
耐磨性（750g/500r）	≤0.060g或商定	现行国家标准《色漆和清漆　耐磨性的测定　旋转橡胶砂轮法》GB/T 1768，橡胶砂轮型号为CS-17

表5　自流平洁净涂料面漆产品技术要求

项　　目		指　　标	测 试 方 法
在容器中状态		搅拌后均匀无硬块	打开容器，用调刀或搅棒搅拌，允许容器底部有沉淀，若经搅拌易于混合均匀，则评为合格。双组分涂料应分别进行检验
固体含量（混合后）		≥60%	现行国家标准《色漆、清漆和塑料　不挥发物含量的测定》GB/T 1725
干燥时间	表干	≤8h	现行国家标准《漆膜、腻子膜干燥时间测定法》GB/T 1728乙法
	实干	≤24h	现行国家标准《漆膜、腻子膜干燥时间测定法》GB/T 1728甲法
适用期		合格	将混合后的试样约250mL放入容量约为300mL、内径70mm～80mm的马口铁罐或玻璃瓶内，达到规定时间，检验容器中的内容物，若经搅拌没有沉淀或搅拌后易于分散均匀，而且与刚混合后相比黏度没有显著的增长，没有胶化，不影响施工性能，则认为是适用期合格。适用期根据施工条件而定，通过配合比的调整，人为控制固化时间，以便于施工和保证质量

续表 5

项 目	指 标	测 试 方 法
硬度 （邵氏硬度 计 D 型）	≥75	—
耐冲击性	涂层无裂纹、剥落及明显变形	将样板紧贴于厚度为 20mm 的标准砂（根据现行国家标准《水泥胶砂强度检验方法（ISO 法）》GB/T 17671）上面，然后把直径（60±4）mm，质量为（1000±20）g 的钢质球形砝码从高度 300mm 处自由落下，在一块样板上选择各相距 50mm 的三个位置进行，用肉眼观察样板表面，应无裂纹、剥落及明显变形
耐磨性 (750g/500r)	≤0.060g 或商定	现行国家标准《色漆和清漆 耐磨性的测定 旋转橡胶砂轮法》GB/T 1768，橡胶砂轮型号为 CS-17
粘结强度	≥3.0MPa	现行国家标准《建筑防水涂料试验方法》GB/T 16777
抗压强度	≥80MPa	将试样注入规格为 20mm×20mm×20mm 的试模内，轻轻摇动，待基本干燥固化后脱模。除另有规定外，试件放置 7d 后测试。选择试件的某一侧面作为受压面，用卡尺测量其边长，精确到 0.1mm，将选定试件的受压面向上放在压力试验机（仪器精度≤2%）的加压座上，试件的中心线与压力机中心线应重合，以 30mm/min 的速度均匀加载荷至屈服值为止，记录此时的最大载荷。 试件的抗压强度按下式计算： $$R = P/A$$ 式中：R——抗压强度（MPa）； P——最大载荷（N）； A——受压面积（m²）。

续表 5

项 目	指 标	测 试 方 法
抗压强度	≥80MPa	抗压强度结果以 5 个试验值中剔除离散较大的值后的平均值表示。如 5 个测定值中有 1 个超出 5 个平均值的±10%，就应剔除这个结果，以剩下的 4 个测定值的平均数为结果。如果剩下的 4 个测定值中仍有超过 4 个平均值的±10%的，则此组结果作废